Governance in de zorg

Governance in de zorg

VAN INRICHTING NAAR INSPIRATIE
VAN WETTEN NAAR WAARDEN

Drs. Theo P.M. Schraven

Auteur: Drs. Theo P.M. Schraven
Coverontwerp: Ed Weijburg
ISBN: 978-94-91164-90-3

Inhoudsopgave

Voor herkomst en verantwoording van hoofdstukken (oorspronkelijke
artikelen) en colums wordt verwezen naar pagina 75.

Voorwoord

Al vele jaren heb ik mijn steentje mogen bijdragen aan de ontwikkeling van de governance in de zorg.

Het begon al rond 1990 met mijn rapport *Bestuursmodellen van gezondheidszorginstellingen* voor het toenmalige NZi (Nationaal Ziekenhuisinstituut). Het woord 'governance' werd in die jaren in Nederland nog niet gebruikt. Dat veranderde in 1999 toen ik als secretaris het rapport voor de Commissie Health Care Governance (de Commissie Meurs) mocht opstellen. Hierin was de eerste code in de zorg opgenomen. Sindsdien is er veel veranderd. Governance in de zorg is geen statisch gegeven maar een dynamisch verschijnsel. Dat blijkt ook uit de inleiding en de eerste drie hoofdstukken van dit boekje. De daaropvolgende hoofdstukken behandelen verschillende deelthema's van de governance.
Op basis van mijn adviespraktijk, onderzoek, workshops en de opleidingen die ik geef, zijn er in de loop der jaren ongeveer 40 publicaties van mijn hand verschenen. Ik heb daarbij niet alleen veel inspiratie geput uit de inzichten die voortkwamen uit de wetenschap, maar ook uit mijn werk met raden van bestuur en raden van toezicht in de zorg. Mijn klantrelaties uit het verleden en heden ben ik daarvoor dankbaar en erkentelijk. Ik heb regelmatig positieve feedback op mijn artikelen mogen ontvangen en dat heeft mij ertoe gebracht om een aantal van deze artikelen te bundelen in dit boekje als een capita selecta. De meeste artikelen zijn eerder verschenen in een tijdschrift. Redactioneel zijn ze voor deze uitgave hier en daar wat aangepast. Aan het slot van dit boekje is een bronvermelding van de hoofdstukken opgenomen.

Jeroen van Renesse, tekstschrijver en eindredacteur in Amsterdam, en Enide Doppert, management-assistente hebben mij geholpen met de publicatie van deze bundeling. Ed Weijburg, grafisch vormgever heeft de omslag ontworpen en nog andere nuttige adviezen gegeven.

Ik wens u veel leesplezier en vooral ook inspiratie toe.
Theo Schraven

Inleiding - Health Care Governance naar een nieuwe fase: divers en grensverleggend

Governance in de zorg heeft zich de afgelopen tien jaren ontwikkeld langs verschillende fasen. Na een lange tijd van informeel toezicht tot in de jaren negentig werd het interne toezicht geformaliseerd dankzij opeenvolgende zorgspecifieke governance-codes. Deze professionalisering van het toezicht aan het begin van dit millennium ontwikkelde zich door naar een fase van 'resultaatgericht toezicht'. Als gevolg van prestatiebekostiging, kwaliteitsnormen en enkele kwaliteitsschandalen werd het toezicht scherper op de resultaten rondom kwaliteit en financiën ('waar gaan we voor?'). Raden van toezicht gingen over tot het instellen van auditcommissies en kwaliteitscommissies. Een nieuwe fase die zich nu aandient is die van waardengericht toezicht. Door toenemende specialisatie in de zorg – in combinatie met blijvende budgettaire druk- moeten er echte keuzes gemaakt worden. Die raken de identiteit, missie en visie van de zorgorganisatie: 'waar staan we voor?' Het sturen en toezicht houden op waarden is ook nodig omdat de omvang én complexiteit van zorgorganisaties toeneemt; het toepassen van procedures, regels en kengetallen is voor zorgprofessionals niet effectief en zeker niet inspirerend. Verticaal (hiërarchisch) toezicht zal aangevuld moeten worden met horizontaal toezicht, ook of juist binnen zorgorganisaties.

Een tweede nieuwe fase van healthcare governance is de diversiteit in zorgsoorten, organisatievormen, samenwerkingsvormen en rechtsvormen. Ten eerste: nagenoeg alle zorgorganisaties hebben de stichting nog als rechtsvorm. Dit gaat verdwijnen, de eerste contouren zijn al zichtbaar. Door nieuwe zorgondernemers ontstaan vennootschappen, vooral in de cure. Ook in de care zal de diversiteit toenemen. Naast vennootschappen van private investeerders zullen burgers of zorgprofessionals in de toekomst het heft in eigen hand nemen; zij gaan de zorg zelf organiseren in zorgcoöperaties.
Ten tweede: de 'monomane stand-alone' instelling verdwijnt. Veel zorgorganisaties ontwikkelen zich tot netwerkorganisaties met een hybride karakter: deels autonoom en deels ingebed in een duurzaam

samenwerkingsverband. Voor ziekenhuizen zal dat met huisartsenorganisaties en met andere ziekenhuizen zijn. In de langdurige zorg (voor ouderen en gehandicapten) zal dat in een lokale keten zijn van welzijn, zorg, wonen en dienstverlening.

Wat betekent dit voor de healthcare governance en de toezichthouders? Naast gedegen functionele kenniscompetenties van belang voor de zorg, zullen zij meer dan voorheen een stevige en evenwaardige sparringpartner voor de raad bestuur moeten zijn. Die staat immers voor bestuurlijk complexe vraagstukken met tegenstrijdige belangen in een maatschappelijk en politiek onzeker klimaat. Mits het niet uit defensieve angst gebeurt, blijft controle en toezicht noodzakelijk (zie de schandalen). Maar mijn ervaring is dat bestuurders meer hebben aan toezichthouders die hun eigen (oude) mentale modellen loslaten en oog hebben voor de nieuwe werkelijkheid die zich aandient en de betekenis voor governance. Toezichthouders, die met aandacht en betrokkenheid, wijsheid en moed, nieuwe wegen in de zorg durven in te slaan, zonder daarbij de kernwaarden van de zorg uit het oog te verliezen. Toezichthouders die elkaar in de ogen durven kijken.

1

Van inrichting naar inspiratie: de raad van toezicht als 'het hogere zelf' van de zorgorganisatie

Inleiding

In november 1999, verscheen het rapport *Health Care Governance* met de 30 aanbevelingen (code) van de Commissie Meurs. De ontwikkeling van governance staat nu op een nieuw kruispunt.

Na een korte schets van de ontwikkeling die raden van toezicht sindsdien hebben doorgemaakt, gaat dit hoofdstuk in op de nieuwe wegen die het toezicht in de zorg dient in te slaan. Deze zijn:

- Naar inspirerend toezicht;
- Naar verbindend toezicht;
- Naar ruimte voor variëteit.

Over inrichting, inhoud en interactie van governance in de zorg

Het functioneren en de ontwikkeling van (intern) toezicht in de zorg kan geanalyseerd worden vanuit de 5 i's van governance.

Inspiratie → Creëren

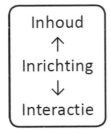

```
Inhoud
  ↑
Inrichting
  ↓
Interactie
```

Instinct → Overleven

Het rapport van de Commissie Meurs was de opmaat voor een professionaliseringsslag van raden van toezicht. Daarbij lag aanvankelijk de nadruk op de *inrichting* van governance, of governance in enge zin: de juridische en organisatorische voorwaarden voor goed toezicht. Het ging daarbij om ontwikkeling en verbetering van onderlinge werkwijzen, de profielen, de benoemingsprocedures, reglementen etc.

Dat was een ontwikkeling naar formalisering die nodig was om te professionaliseren; er bestonden immers grote lacunes omdat het toezicht lang informeel en in een schemergebied functioneerde. Nadien zijn er updates van de codes verschenen, wat op zich een goede zaak is.

De laatste jaren is er, terecht, meer aandacht voor *de inhoud* en de *interactie* in governance.

Op inhoudelijk gebied gaat het dan bijvoorbeeld om de explicitering van de ijkpunten en prestatiecriteria. Dit is een goede ontwikkeling maar draagt ook enkele risico's met zich mee: nog meer nadruk op 'objectiveerbare harde' criteria zoals financiën, te eenzijdige en beperkte indicatoren op kwaliteit, of een procedurele en instrumentele toepassing van de prestatiecriteria ('het afrekenlijstje') die feitelijk niemand inspireren en soms los staan van de zorgwerkelijkheid. Als zo'n cultuur zich van boven naar beneden neerzet, kan er een kloof ontstaan tussen bestuur en toezicht aan de ene kant, en middenkader en professionals aan de andere kant (NB: dat neemt niet weg dat er nog te grote vrijblijvendheid is in de zorg, juist ook op niveau van professionals. Dat vraagt echter andere vormen van sturing).

Algemeen wordt onderkend dat toezicht mensenwerk is en dat gezonde interactie op niveau van bestuur en toezicht essentieel is. Toch blijft dit bij 'heren onder elkaar' een lastig punt. De beperkte zittingstermijnen voorkomen o.a. dat er formeel een te innige verstrengeling ontstaat tussen bestuur en toezicht; het *old boys network* werkt nog wel informeel door. Soms zijn de onderlinge verwevenheden binnen dat netwerk zodanig dat men elkaar onvoldoende aanspreekt. Uit eigen ervaring met vele evaluaties bij raden van toezicht, weet ik dat het bespreekbaar maken van onderlinge interacties en disfunctionele onderstromen nog lastig is. Men wil (of durft) er vaak niet aan.

6

Naar inspirerend toezicht

We zitten nu in een politiek-maatschappelijk tijdsgewricht waarin incidenten telkens lijken te worden uitvergroot en gepaard gaan met hyperreacties. Er hebben natuurlijk debacles plaatsgevonden *(en deze zullen blijven plaatsvinden)* en het is iets te makkelijk om dan telkens te wijzen op de overtrokken reactie van de politiek en de media en deze af te serveren als 'de boze buitenwereld'. Ook bij het zelfreinigend vermogen binnen de zorgsector mogen we vraagtekens zetten.

In het huidige klimaat dreigt de angst te gaan regeren, in de politiek, maar ook in de zorg. Hoe gaan toezichthouders hiermee om? Schieten de toezichthouders in de kramp door alleen op basis van hun overlevingsinstinct ('het lagere zelf') te reageren? Dit smoort elke creativiteit. Dat zie je bijvoorbeeld op het niveau van inrichting - gekenmerkt door een *overkill* aan gevraagde informatievoorziening. En je ziet het op het niveau van inhoud, waarbij de eigen mening gaat domineren ('ik ben voor of tegen fusie'; 'ik ben voor of tegen marktwerking'). 'Uit stevigheid' houdt men daar aan vast. Dit alles leidt weer tot nieuwe competentiefricties tussen toezicht en bestuur waarbij langs klassiek hiërarchische lijnen wordt gedacht ('wie is eindverantwoordelijk'). En dat werkt disfunctioneel.

Raden van toezicht zijn juist bij uitstek een representatie van 'het hogere zelf' van een zorgorganisatie: als 'belangeloos' orgaan dat met een onafhankelijke geest het hoofd koel houdt en het hogere maatschappelijke doel bewaakt.

Meer dan ooit is er een stevige raad van toezicht nodig, maar wél een die meerwaarde biedt én inspireert en daarmede creërend is. Dat betekent dat andere vormen van communicatie met de raad van bestuur en met de organisatie plaats moeten vinden (met rolvastheid als voorwaarde).

Toezicht op zorgorganisaties is veelal geen eendimensionaal traject waarbij het bestuur zich verantwoordt naar het toezicht of waarbij het toezicht 'de toezichtkaders bepaalt' en het bestuur 'uitvoert'. Goed toezicht wordt op een aantal dossiers juist interactief ingevuld, bijvoorbeeld rondom de vraag: wat vinden we goede kwaliteit van zorg en hoe beoordelen we dat dan? Dat kost zowel tijd in de fase van beleidsvaststelling als in de fase van toezicht op de uitvoering. Ruim tijd voor reflectie dus, in plaats van beperkte tijd om in rap tempo een overvolle controleagenda af te werken.

Hoe kom je tot een meer inspirerende vorm van toezicht en 'control' die je bovendien terugbrengt naar de basis van zorg? Dat is: *Statistics & Storytelling* (met dank aan Wim Schellekens van de IGZ, aan wie ik het volgende voorbeeld ontleen):

Een Amerikaans ziekenhuis heeft dit systeem ingevoerd naar aanleiding van een ernstig incident met fatale afloop voor de patiënt. Men kwam tot de conclusie dat men – ondanks alle beschikbare informatie - aan de ene kant te weinig stuurde op de harde medisch-wetenschappelijke data ('statistics'), terwijl er aan de andere kant geen ruimte of een cultuur bestond om op alle niveaus het individuele verhaal (concrete voorvallen en dilemma's uit de zorgpraktijk) met elkaar te delen ('story-telling').

Alleen sturen op *statistics* draagt het gevaar in zich dat het leidt tot defensief gedrag met de nodige bureaucratie tot gevolg. Naast verticale verantwoording is ook een vorm van meer inspirerende, horizontale verantwoordingscultuur noodzakelijk.

Daarom is een aanvullende en gelijkwaardige sturing nodig, door op *alle* besturingsniveaus (van raad van toezicht tot het operationele management met zorgverleners) structureel ruimte te maken voor *storytelling*, ruimte om individuele casussen, incidenten, succes- én faalverhalen met elkaar te delen die direct relatie hebben met de individuele zorgverlening. Om van elkaar te leren, om zicht te blijven houden hoe het echt gaat in de zorg. Zorgverlening is immers per definitie zorg voor mensen, door mensen, met mensen. Alleen het individuele kleine verhaal vertelt het *Grote Verhaal*: hoe gaat het met de zorgonderneming. Kortom: zorg dus voor een effectieve en inspirerende vorm van toezicht die meer *face-to-face* ingericht is, met minder papier, ook op het niveau van het toezicht.

Men zegt wel dat een goede raad van toezicht de goede vragen stelt. Het is de kunst van de raad van toezicht een goede balans te hanteren tussen de *wat-vragen* (ditjes en datjes en watjes en weetjes), de *waarom-vragen* en de *waartoe-vragen*. Bijgaand schema kan hierbij uitkomst bieden.

Strategieën voor informatie- en kennisverwerving raad van toezicht

	Eerste orde	Tweede orde	Derde orde
Vragen	Wat en hoe?	Waarom?	Waartoe?
Domein-informatie	Resultaten, regels	Inzichten	Principes, waarden
Kenniscategorie	Behoren, weetjes	Begrijpen, weten	Willen, durven, zijn
Resultaat	Vervaardigen, verbeteren	Vernieuwen	Ontwikkelen

Naar verbindend toezicht

We zijn geneigd om te spreken van 'intern' toezicht, maar dat is niet helemaal correct. Juist van toezichthouders mag verwacht worden dat zij als maatschappelijke antenne ook op institutioneel niveau de verbinding leggen tussen 'binnen en buiten'.

Er dreigt een onoverbrugbare kloof te ontstaan tussen bestuur en toezicht aan de ene kant en de professionals en medewerkers aan de andere kant.

Ondernemer Donald Kalff waarschuwde daarvoor al publiekelijk in het Financieele Dagblad, in mei 2008. Met het Angelsaksische model zijn we organisaties gaan zien als *'geldgemeenschappen'*. Daarbij kan het Rijnlandse model tekortschieten wanneer organisaties *'belangengemeenschappen'* zijn die elkaar gevangen houden in een cordon van geïnstitutionaliseerde, verkalkte en conflicterende belangen van vele partijen. De weerzin voor het Angelsaksische model is zichtbaar in de vrees voor externe kapitaalverschaffers en winstuitkering. Het Rijnlandse model schiet door in bijvoorbeeld de toevoeging van een preventieve fusietoets of een *early warning*-systeem.

Kalff deed een oproep tot herwaardering van een groep die verwaarloosd en vergeten wordt en dat is *het middenkader*; hij stelde dat bedrijven vooral gezien moesten worden als *werkgemeenschappen.* Voor de zorg geldt dit dus des te meer. De caritas-zorg en de solidariteitsgedachte: 'de zorg van mens tot mens' heeft zich nadien, dankzij voortschrijdend inzicht (tijd) en de wetenschap geprofessionaliseerd. Centraal staat daarbij steeds de verbinding met en tussen mensen, en dat is een kernwaarde binnen de zorg. Het is vooral mensenwerk en het budget bestaat immers voor 70 à 90 procent uit personeelskosten, het menselijk kapitaal. Dat maakt de zorg al fundamenteel anders dan welke sector ook. De zorg is dus vooral een *werk*gemeenschap: voor mensen door mensen.

Als bestuur en toezicht niet investeren in die verbinding, zullen zij zich ook niet verbinden met de organisatie. Althans, de raad van toezicht moet er op toezien dat het bestuur dat doet. Die verbinding met de medewerkers wil niet zeggen dat je ze altijd maar hun gang moet laten gaan of hun zin moet geven. Integendeel. Maar als je echt wat wil veranderen op de werkvloer dan moet je diep interveniëren en echt naast hen gaan staan, net zo goed als een goede hulpverlener naast zijn patiënt staat (en er niet boven).

Dit verbindend toezicht moet zich ook op de samenleving richten. Mits rolvast, moet men niet bang zijn dat toezichthouders soms samen met het bestuur aan tafel schuiven met externe stakeholders. Niet bij de reguliere (onderhandelings)gesprekken en overleggen, maar bij thematische, oriënterende of open uitwisselingen. Over inspiratie gesproken.

Naar ruimte voor variëteit
De differentiatie en variëteit in de zorg nemen toe op het niveau van zorgdiensten en -producten, op het niveau van de organisatie (omvang en specialisatie) en op het niveau van de rechtsvorm (stichtingen, BV's, coöperaties etc).

Door deze ontwikkeling ontstaat de neiging om het externe en interne toezicht steeds specifieker en gedetailleerder te maken. Het is een valkuil, want dat gaat zo natuurlijk niet werken. De organisatieles is: bij toenemende complexiteit en differentiatie heb je kernwaarden of

10

basisuitgangspunten nodig om op terug te vallen. Vergelijk het met de hypotheekcrisis. Hypothecaire producten waren zo ingewikkeld geworden dat bestuur en toezicht zelf niet meer begrepen wat ze verkochten, maar ze leken profijtelijk. Bestuur en toezicht (ook het externe toezicht) hadden dit kunnen en moeten voorkomen door te stellen: wij verkopen *vertrouwen* en dat betekent dat we, ter bescherming van onze klanten, de risico's die we nemen, op de balans zetten. Zoals banken dit al sinds hun ontstaans-geschiedenis deden. Ook Ahold was een les: het concern was een overnamemachine geworden en in het proces van overnames vergeten dat het eigenlijk een retailbedrijf (supermarkt) was.

Naarmate ook de zorg gedifferentieerder en complexer wordt is het nodig om op de kernwaarden van de zorg terug te vallen. Het is uiteindelijk de taak van het toezicht om *het ware zelf* (= het hogere zelf) van de zorg in ere te houden en bestuurders daarin wakker te schudden als ze in de verkeerde droom terecht dreigen te komen.

2

Van informeel toezicht naar waardengericht toezicht - Een reflectie- en analysemodel over ontwikkelingsfasen van toezicht in de zorg

Het raad-van-toezichtmodel in de zorg bestaat al vele jaren. In de ziekenhuizen vanaf de jaren tachtig, in de care vanaf begin jaren negentig. Het RvT-model mag dan al decennia bestaan, de raad van toezicht als zodanig is voortdurend in ontwikkeling. Het is geen statisch fenomeen, zo bleek uit de eerste grootschalige wetenschappelijke onderzoeken naar het functioneren van raden van toezicht in de zorg in 2002 en 2005.

Op basis van deze onderzoeken is al de ontwikkelingslijn geschetst die raden van toezicht doormaken: van informeel toezicht via geformaliseerd toezicht naar inhoudelijk resultaatgericht toezicht. De betekenis van die fasen zijn in onderstaand model toegelicht. We zijn inmiddels jaren verder en op basis van mijn intensieve betrokkenheid bij governance in de zorg ontwaar ik een vierde ontwikkelingsfase: die van waardengericht toezicht.

De fasen zijn hier kort en krachtig in kaart gebracht. In de praktijk blijkt dat toezichthouders het heel herkenbaar vinden, ook in andere maatschappelijke sectoren. Een raad van toezicht kan dit schema benutten om die ontwikkeling te analyseren en er op te reflecteren: wat voor raad van toezicht zijn we en wat voor raad willen we zijn? Het biedt een opening om daarover met elkaar in gesprek te komen.

De vier ontwikkelingsfasen geven de grote en globale richting aan maar vanzelfsprekend kan er op onderdelen variëteit in de ontwikkeling zijn of lopen deze wat door elkaar. De ontwikkeling van de raad zal natuurlijk ook variëren afhankelijk van ontwikkelingsfase van de organisatie.

Fasen → / Dimensie ↓	1. Informeel en ontluikend toezicht	2. Geformaliseerd toezicht	3. Resultaatgericht toezicht	4. Waardengericht toezicht
Kern-oriëntatie toezicht	Wat mogen we (Waar zijn we toe bevoegd)	Wat moeten we (Waar zijn we verantwoordelijk voor)	Waar gaan we voor	Waar staan wij voor
Algemene ontwikkeling in de tijd (maar kan per RvT verschillen)	Vooral voor invoering van governance – codes (voor 2000)	Professionalisering door governance codes (vanaf 2000 - 2005	Meer aandacht voor inhoud en resultaten (ijkpunten voor toezicht) (vanaf 2005 – heden)	
Governance-codes en -regels	Niet of onvoldoende bekend	Bekend, maar naleving wanneer het uitkomt.	Bekend en bij niet naleving elkaar op aanspreken	Bekend en verinnerlijkt
Adagium relatie RvB	'RvT = (bestuur) op afstand'	'RvT = niet op stoel bestuurder'	'RvT = rolvast'	'RvT = sparring-partner'
Focus van toezicht	Op financiën en bouw	Op financiën en bouw	Op financiën en kwaliteit van zorg	Op cliëntfocus, HRM-beleid (binding en zelfsturing medewerkers) en innovatie
Oriëntatie intern/ extern	Intern	Intern en externe afstemming	Interne sturing en extern samenwerking	Interne zelfsturing en externe ketenintegratie (ketengovernance)
Controls naar RvB én binnen RvT zelf	Diffuus	Beperkt en functioneel op hard controls en in omgang alleen op formele positie	Integraal op hard controls (op resultaten onderneming) en schoorvoetend op soft controls	Integraal op hard controls én soft controls (onderlinge omgang is bespreekbaar)
Contacten binnen organisatie (doorgaans samen met RvB)	Beperkt en reactief	Met formele adviesorganen (ondernemingsraad, clientenraad)	Naast adviesorganen ook met bijv. MT, staf locatie/afdelingsbezoek, etc.	Naast 'vrij bewegend' binnen organisatie, ook contacten met externe stakeholders
Agendering RvT	← alleen door RvB en passief ↔ door RvB én RvT →			
Maatschappelijke verantwoording over governance	Niet of nauwelijks	Verantwoording omdat het moet: formele verplichting, reactief	Verantwoording omdat het gevraagd wordt: responsief en adaptief	Verantwoording omdat het nodig en nuttig is: vrijwillig en pro-actief

Luistermodus in RvT (naar Covey)	Doen alsof	Selectief luisteren	Aandachtig luisteren (ik → ander)	Empathisch luisteren (ander → ik)
Individuele toezicht-houder	Status-gericht	Carrièregericht	Organisatiegericht	Maatschappelijk gericht

Als persoon (naar Blekkingh)	eigen succes ← positionering leidend (ego) ↔ missie leidend (authenthiek) → andermans succes
	als toezichthouder *heb* je een rol ↔ als toezichthouder *ben* je jezelf

Literatuur en bronnen

- Pauline Meurs en Theo Schraven, Langs de Meetlat, onderzoek naar het functioneren van raden van toezicht in de zorg; Kenniscentrum Governance in de Zorg, december 2002 (verkrijgbaar bij iBMG Erasmusuniversiteit Rotterdam).
- Pauline Meurs, Theo Schraven en Dung Ngo, Druk met zichzelf, functioneren raden van toezicht. In: Zorgvisie 10 oktober 2005
- Pauline Meurs en Theo Schraven, Naar stimulerend en slim toezicht, 2006, Elsevier Gezondheidszorg, ISBN-13: 978 90 352 2851 1
- Stephen R. Covey, De zeven eigenschappen van effectief leiderschap, 2004, Uitgeverij Business Contact, ISBN 90 254 1489 3
- Bas W. Blekkingh, Authentiek Leiderschap, 2006, SDU Uitgevers, ISBN 90 5261 493 8

3

Het nieuwe toezicht is loslaten!

In de governance moeten we van een paradigma van *command and control* naar het paradigma van *bezieling en bewaking*. Bij bewaking gaat het dan (voor de raad van toezicht) om het behoeden en beschermen ('waken') van verschuivende kernwaarden in de zorg.

Door schandalen in bestuur en toezicht van een aantal (doorgaans grote) maatschappelijke organisaties, blijven we gevangen in het *control-paradigma*. De politieke en maatschappelijke druk op toezichthouders neemt toe en daarmee ook het ongemak bij deze toezichthouders. Niemand zegt te wachten op meer externe regels, maar de interne toezichtdruk lijkt autonoom toe te nemen. Teksten aan de toezichttafel als 'wij worden er ook op aangesproken', 'aansprakelijkheid' of 'wij zijn ook verantwoordelijk', worden vaker gebezigd. Er dreigt een nieuwe vorm van bestuurlijke drukte te ontstaan: een uitdijend rapportagecircus richting raad van toezicht, met meer werk van *onder naar boven*. En dus meer *hiërarchisering en verticalisering*?

Maar wat is er maatschappelijk aan de hand? Een beweging die de andere kant op gaat. Er zijn drie bewegingen die uiteraard samenhangen:

Ten eerste de ontwikkeling van verzorgingsstaat (zorg als recht), via marktwerking (zorg als dienst) naar een *civil society* (zorg als ondersteuning). We staan nog maar aan het begin van de beweging om onze cliënten en patiënten als (bijzondere) burgers te zien. Zij hebben veel meer mogelijkheden hebben dan we denken. De muren van de monomane zorginstelling brokkelen af. De zorginstelling verdwijnt en wordt een ondersteuningsnetwerk voor *gewoon* (of bijzonder) leven. De toekomstige zorgorganisatie is verweven in een web van samenwerkingsrelaties op het gebied van wonen, zorg en welzijn of op cure, care en comfort. Verantwoordelijkheden zijn horizontaal gespreid. Eenieder is *een onlosmakelijk deeltje* in een groter netwerkgeheel. Dat leidt tot nieuwe vormen van (netwerk)governance die op gespannen voet staat met het huidige systeem van enige verantwoordelijke opper-bestuurder of opper-toezichthouder.

Ten tweede maken organisaties een ontwikkeling door waarbij verantwoordelijkheden zo laag mogelijk in de organisatie, in *zelfsturende* units worden gelegd (decentralisatie, dé-hiërarchisering). Leidt snoeien (bezuinigen) dan toch tot bloeien (ruimte geven)?

Buiten deze zorgorganisaties ontstaan, ten derde, vele vormen van zorgondernemerschap van onderop: zorgcoöperaties van burgers, zorgondernemers met eigen kleinschalige initiatieven, buurtnetwerken, franchiseformules, etc.

Wat betekent dit voor de toezichthouder van de zorgorganisatie?
De kunst is om in het toezichthouden ruimte te geven aan de geschetste ontwikkelingen. Misschien verschuift de rol wel meer naar meta-toezicht. Dat betekent dat de toezichthouder niet steeds meer en meer over van alles en nog wat geïnformeerd wordt (van beneden naar boven), maar dat die in de organisatie en in het maatschappelijk netwerk bevordert dat er een gezond 'systeem' van *checks and balances* wordt geïncorporeerd. Een soort geïnternaliseerde of gehorizontaliseerde werking van governance.

Dat kan ook betekenen dat de toezichthouder zich minder op papier laat rapporteren en zich wat vrijer beweegt in de organisatie om als *onafhankelijke man of vrouw* te zien hoe de organisatie dat zelf organiseert. Dus *bewaking* in de betekenis van hoeder of beschermer. En dat is niet toezicht in de vorm van *op afstand staan*, maar van nabij komen in een hele andere rol dan de bestuurder die de mooie rol van bezieler is toebedacht.

Als het stil wordt....

Het (werk)leven lijkt elk jaar weer drukker, haastiger en sneller te worden. We hebben geen tijd meer om na te denken en geen tijd voor reflectie. Waar vroeger strategieconferenties twee dagen in beslag namen, is daar nu geen tijd meer voor. Of toch wel?

Laatst was ik in een gesprek met een bestuurder. We hadden het over de drukke agenda's, de vele trajecten die lopen en de hectiek die dat met zich meebrengt. Hij vertelde me: "Alleen in de file kom ik er nog aan toe om na te denken over onze strategie." Boeiend, niet alleen de natuur maar ook het economische leven vindt zijn evenwicht. De files zorgen ervoor dat we langzamer gaan en stiller worden. En dus tijd geven om na te denken: over strategie bijvoorbeeld.

Maar er is meer. Ook bewust (na)denken heeft zijn beperkingen. Dit wordt aangetoond door Ap Dijksterhuis in zijn boek "Het slimme onbewuste". Hij introduceert op basis van wetenschappelijk onderzoek 'the theory of unconscious thought'. Het bewuste denken blijkt vooral zijn beperkingen te hebben bij ingewikkelde vraagstukken. Ook zijn er grenzen aan de effectiviteit van veel informatie en aan de verwerking daarvan. Het is slimmer om afleiding te zoeken voordat beslist wordt. Door ontspanning of afleiding gun je jouw onbewuste de tijd om informatie te verwerken en deze in zich op te nemen. Het leidt tot betere beslissingen.

De toezichthouders die hun bestuurders maar blijven bestoken met vragen naar nog meer gegevens zal ik eens een lesje leren...

Met Kerst is het tijd voor reflectie en feest. In de file is altijd tijd voor reflectie. Elke dag feest.

4

Naar een one-tier board in de zorg?

Inleiding

In het bedrijfsleven is discussie ontstaan over de *one-tier board*. Dat is één bestuursorgaan waarin de toezichthoudende bestuurders (*non-executives*) en uitvoerende bestuurders (*executives*) samen zitting hebben (monistische bestuursstructuur). Dit in tegenstelling tot de *two-tier board* zoals we die in Nederland kennen: de raad van commissarissen en de raad van bestuur (dualistische bestuursstructuur).

In het bedrijfsleven is dit thema actueel omdat het one-tier-model inmiddels ook bij wet is toegestaan voor BV's en NV's. Zal deze ontwikkeling zich ook uitstrekken naar de zorg en is dat wenselijk?

Waarom een one-tier board in het bedrijfsleven?

De one-tier board komt uit de Angelsaksische traditie (Verenigde Staten en Groot-Brittannië). De two-tier board komt voort uit de Rijnlandse traditie (Europese vasteland, met name Duitsland en Nederland). Door de governance-schandalen en governance-codes uit genoemde landen zijn de afgelopen jaren beide modellen in de praktijk enigszins naar elkaar toe gegroeid. Zo is in de Angelsaksische traditie de gewoonte doorbroken dat de CEO ook voorzitter is van het bestuursorgaan waarin ook de non-executives (commissarissen) zitting hebben. In de Rijnlandse traditie zijn de eisen die aan het functioneren van onafhankelijke toezichthouders worden gesteld, opgeschroefd. Dit heeft tot gevolg dat de afstand tot de raad van bestuur is verkleind.

Toch bestaan er fundamentele verschillen in beide systemen. Zo werd destijds in de toelichting op de wet met zoveel woorden gezegd dat de functie van commissaris komt te vervallen en dat diens taken vervuld gaan worden door personen die bestuursverantwoordelijkheid dragen. In de wet wordt niet meer gesproken van 'toezichthoudende bestuurders' maar van 'algemeen bestuurders', omdat hun taken - naast de werkgeverstaken - meer omvatten dan adviseren en toezicht houden. Zij nemen deel aan en zijn direct verantwoordelijk voor de besluitvorming over de algemene beleidslijnen. De leden van de raad van bestuur worden dan de 'uitvoerende bestuurders' genoemd. Overigens mag daaruit niet worden afgeleid dat de algemeen bestuurders zomaar aanwijzingen en instructies kunnen geven aan de uitvoerende bestuurders (raad van bestuur). Volgens de wet kunnen statuten bepalen dat één of meer bestuurders (bijv. de raad van bestuur) rechtsgeldig besluiten kunnen nemen over zaken die tot hun taak behoren. Dat betekent dat algemeen bestuurders niet kunnen interveniëren in wat statutair voorbehouden is aan de raad van bestuur (uitvoerend bestuur).

Als belangrijkste argument in de wet wordt de internationalisering genoemd en daarmee de versterking van het concurrentievermogen en het vestigingsklimaat van Nederland. Veel internationale (vooral Angelsaksische) ondernemingen kennen het two-tier model niet. Aan deze ondernemingen moet meer ruimte worden gegeven om het bestuur en toezicht van de NV/BV naar eigen inzicht in te richten.

Het tweede argument komt voort uit het actuele governance-debat en de kritiek op commissarissen die te veel op afstand staan. In een one-tier board worden toezichthoudende en uitvoerende bestuurders gelijkelijk geïnformeerd. Volgens het wetsvoorstel is het one-tier board niet toegestaan bij ondernemingen die onder het zogenaamde structuurregime vallen (de structuurvennootschappen). Wanneer ondernemingen in Nederland een zodanige omvang hebben bereikt, blijft het commissarissenmodel verplicht en is een one-tier board niet toegestaan. De wet stelt namelijk dat de vrijheid om governance in te richten naar eigen keuze, moet wijken voor het maatschappelijk belang en het onafhankelijk toezicht. De wet wijst daarbij op de omvang en het maatschappelijk belang van de onderneming in Nederland.

Hoe zit het formeel in de zorg?
De wet (BW) biedt ruimte om voor stichtingen naar eigen inzicht een one-tier board of two-tier board in te voeren. BW zegt alleen 'het bestuur bestuurt, tenzij beperkingen bij wet of statuten'. Die 'tenzij' biedt de ruimte. Of de bestuurs- en transparantie-eisen van de Wet Toelating Zorginstellingen (WTZi) en de Zorgbrede Governancecode de ruimte bieden voor een one-tier board, hangt af van hoe die regels geïnterpreteerd worden.

De bestuurs- en transparantie-eisen bepalen dat er een orgaan is dat toezicht houdt op het beleid van de dagelijks of algemene leiding. Geen persoon kan tegelijkertijd deel uit maken van het toezichthoudende orgaan én de dagelijkse of algemene leiding. Volgens de Zorgbrede Governancecode is de dualistische bestuursstructuur (raad-van-toezichtmodel) het uitgangspunt, maar volgens het *pas-toe-en-leg-uit-principe* is er ruimte om daar gemotiveerd van af te wijken. Mogelijk zal er voor de preciezen in de WTZi geen ruimte zijn voor een one-tier board omdat de non-executives ook in het bestuur zitten. Voor de rekkelijken zal die ruimte er wel zijn, mits de eisen van onafhankelijkheid (geen belangenverstrengeling) en overige governance-regels (bijv. beperkte zittingsduur etc.) toegepast worden. Het gaat dan minder om het model en meer om de toepassing van principes van governance.

One-tier board in het licht van de ontwikkeling van bestuur en toezicht in de zorg.

1. De invoering van de one-tier board in de zorg zou een *revival* zijn van het dualistische bestuursmodel zoals door Van Wersch in 1980 is beschreven en voorgesteld in zijn dissertatie 'Democratisering van het bestuur van non-profitinstellingen'. Destijds woedde in de zorg een stevige discussie over enerzijds het klassieke bestuursmodel (bestuur-directie) in de vorm van het Instructiemodel of Raad-van-Beheermodel en anderzijds het Raad-van-Toezichtmodel, toen een nieuw fenomeen uit het bedrijfsleven. Als tussenmodel propageerde Van Wersch het dualistische bestuursmodel, waarbij het (oude) bestuur en de directie samen het bestuur vormen. (NB: het dualistische bestuursmodel is in het licht van de hedendaagse ontwikkeling als begrip verwarrend, omdat het vanuit het huidige vertrekpunt van denken (het RvT-model) feitelijk monistisch is. Destijds was het dualistische bestuursmodel een duidelijk begrip omdat toen het bestuursmodel als vertrekpunt van denken gold, waarbij Van Wersch dus voorstelde de directie in het bestuur op te nemen).

In dat dualistische bestuursmodel bestaat het bestuur uit twee organen: het constituerend bestuur (vroeger het bestuur, nu de raad van toezicht) en het dirigerend bestuur (vroeger de directie, nu de raad van bestuur).

Het lijkt erg op de one-tier board omdat ook volgens dit model het constituerend bestuur niet zomaar aanwijzingen kan geven aan het dirigerend bestuur. In die tijd is het dualistische bestuursmodel nauwelijks toegepast omdat het in de praktijk als tamelijk ingewikkeld werd ervaren (zie mijn publicatie 'De bestuursstructuur van gezondheidszorginstellingen', NZi, 2e herziene druk, 1994). Niettemin kan geconcludeerd worden dat in de theorie- en modelvorming de one-tierboard geen nieuw model is in de zorg. Voor de toepassing in de praktijk zou dat echter wel het geval zijn.

Hoe moeten we het one-tier model voor de zorg beoordelen?
Op de eerste plaats moet opgemerkt worden dat door de introductie van de one-tier board er een nieuwe modellendiscussie ontstaat terwijl het uiteraard altijd om de kwaliteit van bestuurders en toezichthouders gaat én om de correcte toepassing van de principes van governance. Deze beide aspecten dienen bovenaan de agenda van het governance-debat te blijven staan.

Het is echter niet verkeerd als de one-tier board binnen de zorg mogelijk wordt. Er kunnen immers altijd bijzondere omstandigheden bestaan die zo'n model rechtvaardigen.

Voor het overige zijn er meerdere redenen om kritisch te staan tegenover de monistische bestuursstructuur (one-tier board) in de zorg. Daarvoor zijn vijf redenen:

1. Het gevaar bestaat dat de interne bestuurlijke druk toeneemt. Meer dan het bedrijfsleven heeft de zorg - met zijn gemengd stelsel van publieke en private arrangementen - te maken met stroperige besluitvorming. Dat heeft tot gevolg dat de energie meer naar binnen (systeem-gericht) dan naar buiten (klant-gericht) wordt getrokken. Zeker voor bestuurders is dat een valkuil. Dit zou met name bij de one-tier board wel eens toe kunnen nemen; de interne bestuurlijke dynamiek tussen algemene en uitvoerende bestuurders neemt toe.
2. Toename van interne bestuurskosten (de vergoedingen van non-executives zullen onvermijdelijk stijgen).
3. De non-executives zullen nog meer tijd vrij moeten maken. In het algemeen zullen dat vooral Vutters zijn, de vervroegde uittreders.

Blijven de babyboomers die momenteel uit de bestuursfuncties stromen, dan toch aan de macht?

Eerder onderzoek onder toezichthouders in de zorg wees uit dat verjonging en feminisering van het toezicht in de zorg samen gaan maar dat dit zich moeizaam ontwikkelt (Meurs en Schraven, 'Naar stimulerend en slim toezicht', Elsevier gezondheidszorg, 2006). Vrouwen in raden van toezicht zijn namelijk gemiddeld jonger dan de mannen. De verzwaring van het tijdsbeslag op de non-executives zal remmend werken op het aantrekken van jongere deskundige toezichthouders die nog midden in hun carrière staan.

4. In combinatie met voorgaande argumenten bestaat het gevaar dat de noodzakelijke *onafhankelijkheid/onthechtheid* op gespannen voet komt te staan met *persoonlijke belangen* van de non-executives. Die persoonlijke belangen kunnen zijn: hogere vergoedingen en andere emolumenten en de persoonlijke zingeving in vrijetijdsbesteding.
5. Het argument van de minister om voor structuurvennootschappen geen one-tier board toe te staan vanwege de grote maatschappelijke belangen die op het spel staan (op grond waarvan echt onafhankelijk toezicht nodig is), kan ook gelden voor grote zorgondernemingen in Nederland.

De charme en de kracht van het raad-van-toezicht-model blijft het heldere onderscheid tussen toezicht en bestuur (scheiding der machten) waarbij het er wel om gaat dat de raad van toezicht niet té veel op afstand staat en dat er een stevig systeem van *checks and balances* is. Overigens blijkt uit genoemd onderzoek dat de raden van toezicht van de 100 miljoen+ zorgondernemingen al weer een vergaderfrequentie hebben van tien à twaalf keer per jaar.

Belangrijker dan corrigeren via een one-tier-systeem, is dat de raad van toezicht stimuleert dat stakeholders en maatschappelijke instellingen betrokken worden bij het bestuursbeleid. De raad van toezicht (c.q. de non-executives) moet niet zelf belanghebbend worden maar belangeloos en onafhankelijk blijven.

One-tier board in de toekomst
Is de one-tier board gewoon trendy gedachtegoed uit het bedrijfsleven dat wel weer overwaait? Ondanks mijn kritische kanttekeningen, denk ik van niet. Op het moment dat winstuitkering in de zorg wordt toegestaan

(of beter gezegd: wordt verruimd) en op het moment dat kapitaalverschaffers hun intrede doen in de zorg, dan zal de one-tier board waarschijnlijk zichtbaarder worden. De nieuwe kapitaalverschaffers gaan echt niet op afstand staan en zullen er alles aan doen om, via samenstelling van de raad van commissarissen of andere vormen, zoals de one-tier board, dicht bovenop het bestuur/RvB te zitten. En gelijk hebben ze. Ook voor hen staan grote belangen op het spel en zij zullen een disciplinerende houding aannemen richting dat bestuur. Daar kunnen ze echt geen onthechte belangeloze toezichthouders bij gebruiken.

Uitgangspunt zal echter moeten blijven dat alle bij de zorgonderneming betrokken (maatschappelijke) belangen goed worden afgewogen.

5

Over Zwoegers, Zwijgers en Zeurders - De groepsdynamische aspecten binnen een raad van toezicht

Inleiding

De aandacht bij de raad van toezicht gaat meestal uit naar de formele governance-regels zoals vastgelegd in codes, en naar aspecten als informatievoorziening en risicobeheersing.

In deze bijdrage worden enkele groepsdynamische aspecten van een raad van toezicht behandeld. De inzichten zijn niet zozeer gebaseerd op wetenschap of theorie, maar op eigen waarnemingen in de begeleiding van vele raden van toezicht in de zorg over de afgelopen jaren.

De intrinsieke discongruenties in de relatie tussen raad van toezicht en raad van bestuur

De relatie tussen raad van toezicht en raad van bestuur heeft zo zijn eigen kenmerken die de wijze van omgang kleuren. Deze specifieke kenmerken zijn min of meer als intrinsieke discongruenties of paradoxen te definiëren.

Ten eerste: de relatie tussen de raad van toezicht en raad van bestuur is een wederzijdse mengeling van bovenschikking en onderschikking. Bovenschikking van de bestuurder vanwege zijn formele machtspositie en feitelijke gezagspositie: de bestuursverantwoordelijkheid (baas van de rechtspersoon en van de werkorganisatie) en zijn competentie-, kennis- en informatievoorsprong. Er is daarentegen bovenschikking van de raad van toezicht vanwege zijn werkgeversfunctie en de toezichtfunctie (goed- en afkeuringrecht). Dit betekent dat de onderlinge omgang die normaliter op vertrouwen is gestoeld, ook een diepere onderstroom heeft van macht: wie heeft het laatste woord?

Ten tweede: voor de raad van bestuur is de raad van toezicht één van de vele, en voor de raad van toezicht is de raad van bestuur in principe de enige. Wat hiermede bedoeld wordt is dat de raad van bestuur voortdurend en dagelijks te maken heeft met heel veel overlegsituaties (MT, ondernemingsraad, cliëntenraad, stafbestuur, commissies, verzekeraar, andere zorginstellingen, gemeente etc., etc.). In verdeling van aandacht en prioritering van werkzaamheden is het waarschijnlijk dat de raad van toezicht niet hoog op het lijstje van de raad van bestuur staat. Daarmee is niet gezegd dat de raad van toezicht niet serieus wordt genomen – hetgeen overigens ook voorkomt - maar de raad van bestuur heeft wel/ook andere dingen aan zijn hoofd.

De raad van toezicht heeft daarentegen meestal slechts met dat ene orgaan te maken: de raad van bestuur. Voor de raad van toezicht is alle aandacht daarop gericht.

Ten derde: de onafhankelijkheidsparadox. De raad van toezicht wordt geacht onafhankelijk toezicht uit te oefenen op het orgaan waarvan het afhankelijk is van de informatievoorziening. Dit wordt gedeeltelijk doorbroken door als raad van toezicht periodiek aanwezig te zijn bij andere overlegsituaties (ondernemingsraad, cliëntenraad, accountant) en/of door bijvoorbeeld een auditcommissie en geobjectiveerde informatie (bijv. benchmarks). Maar feit blijft dat die onafhankelijkheidsparadox intrinsiek aanwezig is.

Deze specifieke kenmerken in de relatie raad van toezicht en raad van bestuur moeten niet gezien worden als probleem maar als uniek voor die relatie. Men moet zich hiervan bewust zijn, omdat ze per definitie de onderlinge omgang beïnvloeden.

De samenstelling van de raad van toezicht en betekenis voor de onderlinge omgang

Een zorgorganisatie kent tot en met het niveau van het bestuur een hiërarchische opbouw of op zijn minst de schijn van hiërarchie (ziekenhuis). Deze hiërarchie stokt op het niveau van de raad van toezicht. De raad van toezicht wordt gekenmerkt door een college van gelijken, met hoogstens de voorzitter als eerste onder zijns gelijken. Dit heeft tot gevolg dat de onderlinge omgang binnen een raad van toezicht gekarakteriseerd wordt door non-interventiegedrag, waarbij zwak presterende toezichthouders te lang worden gedoogd. Het vermijdingsgedrag wordt nog versterkt door enkele andere verschijnselen. De leden van de raad van toezicht doen het werk erbij en in hun dagelijkse job hebben ze al genoeg kopzorgen. Kortom: men heeft gewoon geen zin in al te veel 'gedoe erbij'. Men waakt er dus voor om zelf de knuppel in het hoenderhok te gooien. Van grotere invloed is het verschijnsel dat een raad van toezicht groepsdynamisch gezien per definitie een beginnende groep is en blijft. Kenmerk van een beginnende groep is onder meer dat leden zich naar elkaar voorzichtig en aftastend opstellen: wat kan en mag ik hier wel en niet zeggen en doen?

Op een raad van toezicht is dit van toepassing door de lage vergaderfrequentie in combinatie met het feit dat elk jaar wel een nieuw lid instroomt en een ander lid uitstroomt. Verhoudingen moeten zich steeds opnieuw 'zetten'. Eventuele opgebouwde en ogenschijnlijk futiele irritaties worden niet gerepareerd, want na de vergadering 'vliegt men weer uit' om elkaar pas na twee maanden weer te ontmoeten (als iedereen al aanwezig is). In het ergste geval worden de opgebouwde frustraties de druppels die de emmer doen vollopen, tot die laatste druppel...

Er ontstaan vaste gedragspatronen tussen de leden van de raad van toezicht die bestaat uit zwoegers, zwijgers en zeurders. De zwoegers zijn goede toezichthouders die hun zaakjes goed voorbereiden en weten wanneer ze stevige vragen moeten stellen of wanneer ze terughoudend moeten zijn. Zwijgers zijn de stille toezichthouders die kijken hoe de wind waait; als het er op aan komt weet een bestuurder niet altijd wat hij aan ze heeft. En de zeurder is degene die tot irritatie van de bestuurder elke vergadering zijn stokpaardje berijdt, meestal over geld of bouw. Toch heeft ook die zijn rol en wordt hij niet gecorrigeerd door de collega-toezichthouders. Met enige plaatsvervangende schaamte en naar buiten kijkend denken de laatsten: "Laat de bestuurder maar even zelf de kastanjes uit het vuur halen".

De houding die de raad van toezicht ten opzichte van de raad van bestuur inneemt.

Naast de werkgeverstaak heeft de raad van toezicht een adviserende en een toezichthoudende taak. Qua stijl kan er sprake zijn van een informele of van een formele houding.

Schematisch kan dit als volgt worden weergegeven:

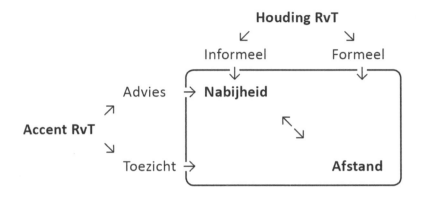

Een meer informele stijl met het accent op de adviesfunctie heeft het voordeel dat precaire zaken meer in een vertrouwelijke en open sfeer besproken worden, waarin de echte achterliggende problemen van de raad van bestuur op tafel komen. Schiet de nabijheid door dan kan deze houding leiden tot vrijblijvendheid, het vermijden van conflicten of in het ergste geval vriendjespolitiek en oude-jongens-krentenbrood-sfeer.

Een meer formele stijl met het accent op de toezichthoudende functie heeft tot voordeel dat de functies en verantwoordelijkheden tussen raad van bestuur en raad van toezicht meer onderscheiden en zuiver blijven. De raad van bestuur legt verantwoording af. Wordt de rol van de raad van toezicht te afstandelijk dan voelt een raad van bestuur zich niet altijd veilig genoeg en legt deze mogelijk niet alle kaarten open op tafel. De onderlinge spanningen kunnen onderhuids oplopen zonder dat dit wederzijds uitsproken wordt. Dit kan een bron van niet-productieve conflicten zijn.

Een goede raad van toezicht weet in gevoelige en existentiële zaken niet alleen te switchen tussen adviseren en toezicht houden maar te switchen ook in de houding die het inneemt. Daar waar advies en nabijheid meer aan de orde is, blijft de formele positie van de raad van toezicht zichtbaar. En daar waar meer toezicht en afstand aan de orde is, weet de raad van toezicht (op informele wijze) de werkrelatie ontspannen te houden. Een raad van bestuur heeft hier uiteraard invloed op de manier waarop het communiceert.

De raad van toezicht voor de crisis, tijdens de crisis en na de crisis
Preventie van crises is mogelijk door goede informatievoorziening, door open verhoudingen binnen de raad van toezicht en met de raad van bestuur, door een adequaat systeem van risicobeheersing en door de lastige vragen te durven stellen. Toch ontstaan er crises die voorkomen hadden kunnen worden of in een eerder stadium aangepakt hadden kunnen worden. In mijn adviespraktijk is bij de bespreking van *critical incidents* bij toezichthouders nagevraagd of ze achteraf gezien de signalen van een dreigende crisis heeft opgemerkt. Het antwoord is meestal bevestigend maar men had de signalen genegeerd. Vaak waren het signalen die de toezichthouders individueel wel *voelden* maar ze rationaliseerden die gevoelens - los van elkaar - weg: "ik zal het wel fout zien", "het kan niet waar zijn" of "ik ben vast de enige".

Het algemene devies is: toets je gevoel van ongemak (op informele wijze) bij de collega-toezichthouders, objectiveer die en afhankelijk daarvan kan je beoordelen of preventieve actie nodig is.

Uit onderzoek naar geschillen tussen bestuur en toezicht voor het Scheidsgerecht voor de Gezondheidszorg in 1988 en in 1999 blijkt dat bij een crisis in een organisatie escalatie of de-escalatie tussen beide partijen plaatsvindt, afhankelijk van de opstelling van de raad van toezicht. Indien de raad van toezicht bij een dreigende bestuurscrisis zelf op onderzoek uitgaat in de organisatie, vindt er meestal een verdere escalatie plaats omdat het gezag van de raad van bestuur nog verder wordt aangetast en omdat de raad van toezicht zelf partij wordt 'in een modderpoel' waar het zelf moeilijk uitkomt.
Het devies is: bij een (dreigende) bestuurscrisis als raad van toezicht wel de regie in handen nemen maar een onderzoek extern laten uitvoeren.

Als er een crisis uitbreekt kan de raad van toezicht niet weglopen voor zijn verantwoordelijkheid, dan is het alle hens aan dek (schoonvegen van de agenda's, vooral door de voorzitter). Maar wat te doen na de crisis? Los van de vraag of de raad van toezicht al dan niet medeverantwoordelijk is voor het ontstaan van de crisis leert de ervaring dat de oorzaak van de crisis later een verstold ankerpunt van toezicht wordt, onder het mom van *eens maar nooit weer*. Als er een financiële crisis heeft plaatsgevonden dan heeft de raad van toezicht nadien de neiging om vooral op de financiën te gaan zitten. Als er een conflict in de raad van bestuur heeft plaatsgevonden dan voelt de raad van toezicht vervolgens de aandrang om vooral op de samenwerking van het nieuwe duo te letten. Bij een onverwachte en onvoorziene personeelsopstand wil men daarna ook ineens apart contact met, bijvoorbeeld, de OR gaan onderhouden.

Het devies is: ongeacht de mate van schuld of verantwoordelijkheid van de raad van toezicht zelf, zorg na de crisis voor een versnelde doorstroming en vernieuwing van de raad van toezicht! Dan blijft de oude raad van toezicht niet in het verleden hangen en kan de nieuwe raad van toezicht zich echt op heden en toekomst richten.

Literatuur
- Th.P.M. Schraven, Geschillen tussen bestuur en directie, de uitspraken van Het Scheidsgerecht voor Ziekenhuiswezen onderzocht, in Het Ziekenhuis, 3 november 1988;
- Ellen Hoogervorst en Theo Schraven, De struisvogelpolitiek van de toezichthouder; Uitspraken van het Scheidsgerecht onderzocht, in Zorgvisie nr. 12 1999
- Th.P.M. Schraven, 'Governance in de Zorg', december 2002 in Vraagbaak Medisch Specialist, uitgave Bohn Stafleu Van Loghum

6

Als het stormt... - Over groepsdynamische aspecten in de raad van toezicht

De laatste tijd wordt er veel geschreven over gedrag en cultuur binnen de bestuurs- en toezichtkamer. Zelfs De Nederlandsche Bank – die psychologen in dienst heeft genomen (!) - heeft onlangs een studie gemaakt over gedrag in de bestuurskamers van financiële instellingen ('Leading by example').

Veel publicaties constateren (terecht) dat, meer dan de codes en regels, gedrag en cultuur belangrijk zijn voor goed toezicht. Maar daar blijft het dan bij. Wat er dán aan de hand is en waar je als raad van toezicht bij gedrag en cultuur op moet letten, daar is minder over geschreven.
In dit artikel doen we dat aan de hand van een theorie over teamontwikkeling, waarbij ook concrete handvatten worden geboden uit de praktijk.

Reeds in 1965 publiceerde Bruce W. Tuckman over de fasen die groepen en teams doormaken, namelijk de fasen *forming, storming, norming en performing*.
We nemen deze door en passen dat toe op de raad van toezicht.

Forming (de vormfase)
Dit is de fase waarin leden van RvT elkaar niet goed kennen, formeel beleefd met elkaar omgaan (of wat geforceerd informeel) en nogal de kat uit de boom kijken. Ook is er geen gedeelde en doorleefde visie op toezicht en op de rol van de raad van toezicht.
Het overheersende gevoel is: *binnen - buiten* : 'hoor ik hier wel bij?'

Veel raden van toezicht bevinden zich in deze fase en blijven er ook in hangen.
De raad van toezicht wordt gekenmerkt door een college van gelijken, met hoogstens de voorzitter als eerste onder zijns gelijken. Dit heeft tot gevolg dat de onderlinge omgang binnen een raad van toezicht gekarakteriseerd wordt door non-interventiegedrag, waarbij zwak

presterende toezichthouders te lang worden gedoogd. Het vermijdingsgedrag wordt nog versterkt door enkele andere verschijnselen. De leden van de raad van toezicht doen het werk erbij en in hun dagelijkse job hebben ze al genoeg kopzorgen. Kortom: men heeft gewoon geen zin in al te veel 'gedoe'. Men waakt er dus voor om zelf de knuppel in het hoenderhok te gooien. Van grotere invloed is het verschijnsel dat een raad van toezicht groepsdynamisch een *beginnende groep* is en dat vaak ook blijft. Kenmerk van een beginnende groep is dat leden zich naar elkaar voorzichtig en aftastend opstellen: wat kan en mag ik hier wel en niet zeggen en doen?

Op een raad van toezicht is dit van toepassing want de vergaderfrequentie is relatief laag. Daar komt bij dat elk jaar wel een nieuw lid instroomt en een ander lid uitstroomt. Verhoudingen moeten zich steeds opnieuw 'zetten'. Eventuele opgebouwde en ogenschijnlijk futiele irritaties worden niet gerepareerd, want na de vergadering 'vliegt men weer uit' om elkaar pas na twee maanden weer te ontmoeten.

De effectiviteit van een team in de *vormfase* is laag en in het verleden kon een raad van toezicht daar nog mee weg komen omdat de organisatie-omstandigheden tamelijk stabiel waren.

Heden ten dage is dat niet meer mogelijk omdat er hogere eisen worden gesteld aan het toezicht.

Er zal door de raad van toezicht – onder leiding van de voorzitter - echt geïnvesteerd moeten worden om de raad van toezicht als team naar een hoger niveau te trekken.

Voor een raad van toezicht in een vormfase zijn daarvoor een enkele praktische tips (uiteraard niet volledig):

- Zorg dat nieuwe leden niet pas na een jaar, maar zo snel mogelijk effectief worden door een goed introductieprogramma (ook *ín* de zorgorganisatie);
- Een Benedictijnse regel is dat novieten als eerste het woord krijgen; pas deze ook toe. Bevorder dat nieuwe leden als eerste het woord nemen;
- Zorg dat alle leden periodiek een update krijgen van belangrijke strategische besluiten uit het verleden. Discussies over deelbesluiten (bouwproject) kunnen de kop op steken omdat *het grote plaatje* uit beeld is geraakt (strategisch vastgoedbeleid);
- Zorg als individueel lid én als voorzitter dat je *het conflict* niet uit de weg gaat, en voorkom vermijdingsgedrag als het gaat om taboes in

de groep op een inhoudelijk onderwerp of op gedrag (op tijd komen, geen gebruik van telefoon, vergaderstijl).

Wil een raad van toezicht de teamgeest en effectiviteit doen groeien, dan moet men het aandurven om ten opzichte van elkaar wat scherper aan de wind te zeilen en daarmee 'de storm' een beetje op te zoeken.

Storming (Stormfase)

Een belangrijk kenmerk van deze fase is dat leden zich meer (durven) laten zien, al discussieert men nog vooral vanuit standpunten. Er ontstaan stereotype beelden over elkaar en er zijn (onuitgesproken) irritaties. Er vinden coalities plaats.

Het overheersende gevoel is: *boven - onder*: wie hebben het hier voor het zeggen.

Voor teams die lang in de oppervlakkige beleefdheidsfase blijven hangen is, zoals gezegd, het opzoeken van enige dynamiek gewenst: durf de grens op te zoeken.

Maar raden van toezicht die (te) lang in de stormfase blijven hangen zijn uiteindelijk onvoldoende productief. Het is van belang dat leden hun vaste positie verlaten en het stereotype beeld laten varen. Het is belangrijk dat interventies worden gedaan die andere invalshoeken (over elkaar) bieden. Hierbij enkele tips, waarbij het vooral gaat om afwisseling in andere omgangs- en vergaderstijlen:

- Een andere vorm van dialoog, zoals moreel beraad of socratische dialoog.
- Durf het aan om af en toe (of zelfs roulerend) een ander lid de vergadering voor te laten zitten: het technische voorzitterschap van een vergadering is immers maar één aspect van het voorzitterschap van de raad van toezicht.
- Wanneer er veel vragen aan de raad van bestuur worden gesteld of u heeft te maken met een raad van bestuur die veel aan het woord is: zorg dat na toelichting door RvB de raad van toezicht vooral met elkaar in gesprek is.
- Stimuleer dat leden spreken op basis van *feiten en waarnemingen*, in plaats van op basis van *meningen en oordelen*. En uiteraard alleen *open vragen*.
- Bevorder ook dat leden elkaar op een andere manier en informeel ontmoeten ('de pet af'). Investeer in de relatie. Dat kan goed

gecombineerd worden met informele werkbezoeken binnen of buiten de zorgorganisatie.

- Bij veel dynamiek in de raad én bij volle agenda's, kan het gewenst zijn om zonder raad van bestuur een korte voorbespreking van de vergadering te houden. Niet om vooraf tot een gemeenschappelijk RvT-standpunt te komen maar om vooraf te peilen 'hoe men er in zit'. Dit kan onvoorspelbaar gedrag in de RvT-vergadering voorkomen.

Overigens, als het echt stormt in de zorgorganisatie zelf dan is dat dé testcase voor de raad van toezicht. Is het RvT-team dan krachtig genoeg om de crisis te doorstaan en goed door te pakken of is de raad van toezicht te zwak om adequaat te handelen (of dreigt men zelfs te vluchten, zoals sommige leden doen). In het eerste geval komt de raad min of meer vanzelf in de *normfase* en in het tweede geval zal de raad zelf zo snel mogelijk vervangen moeten worden.

Overigens, een goed presterende raad voorkomt juist dat een zorgorganisatie in een crisis komt.

Norming (normfase)

Dit is de fase waarin gedeelde normen ontstaan: 'zo doen wij dat hier gezamenlijk'. Ieders unieke kwaliteiten worden benut en er heerst het gevoel dat men er samen voor staat. Er is openheid naar elkaar en men geeft elkaar feedback. De raad is niet meer een optelsom van ego's. Het overheersende onderlinge gevoel is: 'van afstand naar nabijheid'. Er is een goede balans gevonden in de diversiteit die een raad van toezicht nodig heeft én de noodzaak één team te zijn.

Zoals gezegd, de eisen aan de raad van toezicht worden hoger omdat de dynamiek en complexiteit van de zorgorganisatie groter zijn geworden. Toch zijn er in deze fase nog mogelijkheden om de raad naar een hoger prestatieniveau te tillen. Een raad van toezicht moet onafhankelijk toezicht uitoefenen op bestuur en zorgorganisatie, maar voorkom dat de raad van toezicht onvoldoende aangehaakt is aan diezelfde zorgorganisatie. Daarom enkele praktische tips:

- Elke zorgorganisatie heeft een missie en visie waarin gemeenschappelijke waarden zijn benoemd. Pas die waarden toe op de eigen raad van toezicht. Welk inzicht brengt dat?

- 'Het kleine verhaal vertelt het grote verhaal'. Maak meer ruimte voor bespreking van concrete (zorg)casuïstiek. 'Het papier' kan wel in de commissies.
- Wissel ervaringen uit met een andere raad van toezicht, samen met raad van bestuur, van een vergelijkbare zorgorganisatie buiten het werkgebied.
- Bezoek samen een innovatief project buiten de eigen organisatie.
- Kijk samen met raad van bestuur of er op enigerlei wijze een open gesprek met externe stakeholders kan plaatsvinden.

Performing (prestatiefase)

In deze fase is het niveau van de raad van toezicht (samen met raad van bestuur) naar een nog hoger niveau getild. De omgangsvormen zijn gericht op waardenoriëntaties en de raad van toezicht is een evenwaardige sparringpartner voor de raad van bestuur.

Men is bereid eigen mentale modellen ter discussie te stellen en handelt niet op basis van angst voor aansprakelijkheid of imagoschade in de buitenwereld. De schuld wordt niet bij 'Den Haag' gelegd maar er wordt gehandeld op basis van een nieuwe werkelijkheid die zich aandient. Dat betekent ook dat je als raad van toezicht de bereidheid toont om risico's te nemen in je beleid (en daarop toezicht te houden) en niet alleen defensief te handelen.

Helaas is een aantal schandalen in de zorg (en daarbuiten) daarvoor niet het goede voorbeeld, al trokken in die gevallen bestuurders juist een te grote broek aan met toestemming van de raad van toezicht, of verwaarloosden ze de eigen kernactiviteiten en gingen branchevreemd. Presteren en falen kunnen daarom dicht bij elkaar liggen. Het grootste gevaar van de 'prestatiefase' is zelfgenoegzaamheid ('wij doen het goed') of het creëren van helden[5] . Houd de zaag scherp, zoals Covey eens zei.

Tot slot

We hebben aan de hand van de theorie van Tuckman de teamontwikkeling van de raad van toezicht besproken. Uiteraard kunnen elementen van verschillende fasen door elkaar heen lopen, maar in het algemeen wordt die ontwikkeling wel herkend. Hoe staat het met uw raad van toezicht?

---

[5] *De voorzitter van de RvC Ahold heeft ooit publiekelijk beweerd dat hij Cees van der Hoeven – toen de beurslieveling - wenste te klonen. Enkele maanden later brak de Ahold-crisis uit.*

Maar uiteindelijk begint het toch bij het individu ofwel bij uzelf.
Naast uw inbreng van kennis en vaardigheden zijn twee
houdingsaspecten van wezenlijk belang om uw bijdrage voor de raad van
bestuur en uw meerwaarde voor de zorgorganisatie te toetsen:

- Met welke *intentie* zit u in deze raad van toezicht? Het klassieke
  antwoord is natuurlijk 'bijdrage aan maatschappelijke functie of
  verantwoordelijkheid', maar hoe uit die intentie zich in houding en
  gedrag?
- Wat is uw houding *in* de vergadering. Bent u echt betrokken op wat
  daar gebeurt of komt u 'uw ding doen', of komt u om te laten zien hoe
  goed u bent... De echte meerwaarde begint bij 'aandachtig aanwezig
  zijn'.

Om William James en Lincoln te parafraseren: bent u de toezichthouder
zoals u zichzelf graag ziet? Bent u de toezichthouder zoals de ander hem
ziet? Of bent u de toezichthouder zoals hij werkelijk is?
Want: "I am not bound to succeed but I am bound to live up to what light I
have" (Lincoln)

Column

Heb jij (wel echt) een RvB?

Ja, natuurlijk. Iedereen in de zorg heeft tegenwoordig een RvB, want dat staat voor Raad van Bestuur (met hoofdletters!). Vroeger was het God, later Koning en nu Raad van Bestuur. Men krijgt alleen hoofdletters als men voor volk en vaderland onzichtbaar wordt. De meeste medewerkers hebben alleen een virtuele RvB (op papier, op de foto of in de geest). Dan is er een groep medewerkers die soms of vaak (over)leeft met een RvB. Weer een kleinere groep wil niet een RvB hebben, maar wil zelf een RvB zijn. En tot slot, de RvB'er zelf die zich afvraagt of en hoe hij/zij het blijft.

Er zijn adviestrajecten die stroperig lopen en je vraagt je af, wat is hier aan de hand en waarom loopt het zo zoals het loopt? Een collega zei eens: 'het gaat uiteindelijk toch alleen om geld, macht en seks...' Ik vond dat een onbevredigend antwoord. Of zou ze toch gelijk hebben in die zin dat die drie drijfveren een uiting zijn van een diepere laag waar we allemaal naar zoeken.

'Geld' staat dan voor aanzien, zekerheid en vrijheid. 'Macht' voor invloed, betekenis hebben en gezien of erkend worden, en 'Seks' voor liefde en respect krijgen. Zou het zo zijn dat we de bevrediging van onze diepere drijfveren uitbesteden, namelijk bij dingen (geld) of bij anderen (die je aanzien, respect en liefde moeten geven)? En als we dat niet krijgen dan zullen we het wel zelf halen (of blijven mokken in een hoekje).

Wat heeft dat met de RvB te maken? In hoeverre besteden medewerkers hun drijfveren (en werkgeluk) uit aan de RvB en hun managers die moet zorgen voor ... (en andersom). En zo houden bestuurders, managers en professionals elkaar in een stroperige greep, die ze samen weer uitbesteden aan mij (wat mij gelukkig maakt).

Devies: zet de RvB uit je hoofd en schaf die af, zoals we dat ook met God en de Koning hebben gedaan. Iedereen heeft vanaf nu een eigen RvB: dat is je unieke Reden van Bestaan. Ken je die? Zo niet, verwacht dan niet dat een raad van bestuur (voortaan in kleine letters!) of wie dan ook daarop het antwoord kan geven, laat staan kan bevredigen.

7

Evaluatie tussen twee raden van toezicht: interactief, reflecterend en lerend - Een casusbespreking van twee RvT's in de zorg[6]

Inleiding

Het is inmiddels goed gebruik dat een raad van toezicht jaarlijks een evaluatie doet met betrekking tot het eigen functioneren. Dit is ook vastgelegd in de governance-codes. Het primaire doel van een zelfevaluatie is om de kwaliteit, effectiviteit en toegevoegde waarde van het interne toezicht en daarmee van de governance te verbeteren[7].

De meeste raden van toezicht doen deze evaluatie in eigen kring, al dan niet onder externe begeleiding. Vaak gebeurt dit aan de hand van:

- de governance-code,
- vooraf geselecteerde thema's,
- een vragenlijst, of
- individuele interviews.

Deze evaluaties zijn uiteraard nuttig en noodzakelijk, maar het gevaar is dat ook daar na enkele jaren weer de sleetsheid insluipt. Dezelfde thema's komen steeds ter sprake (of juist niet!) en 'de slager keurt het eigen vlees'. Dit is zeker het geval als dit niet onder externe begeleiding plaatsvindt[8].

De afzonderlijke raden van toezicht van de RIBW's Anton Constandse en Kwintes[9] hadden de afgelopen jaren op verschillende manieren een eigen zelfevaluatie uitgevoerd, soms ook onder externe begeleiding. Men was toe aan een andere vorm die weer nieuwe inzichten en inspiratie kon bieden. Op die manier kwam men op de gedachte om als raden van toezicht bij elkaar in de keuken te kijken in het kader van een governance-evaluatie.

De doelstelling van dit artikel is om deze vorm van evaluatie te bespreken en te laten zien wat het wel en niet heeft opgeleverd.

Doel en vorm van de evaluatie

De wederzijdse evaluatie is extern begeleid. De rol die de externe begeleider heeft vervuld wordt later besproken. Er zijn in de voorbereiding twee manieren overwogen. De eerste manier is meer toetsend de evaluatie uit te voeren door middel van een audit. Die audit vindt plaats door een andere collega-raad van toezicht en niet door de eigen raad. De audit leidt (min of meer) tot een extern oordeel. Het voordeel is dat het niet vrijblijvend is en dat het disciplinerend werkt. De tweede manier die overwogen is, is om meer wederzijds lerend en uitwisselend te werken rond de kernvraag *hoe werken jullie als raad van toezicht*? Het voordeel hiervan is dat het interactiever is en mogelijk ook inspirerender.

De beide RIBW's hebben besloten om voor de tweede benadering te kiezen, waarbij ook de volgende overwegingen een rol spelen:

- Beide raden waren recentelijk deels vernieuwd en moesten zich in hun werkwijze nog wat meer 'voegen'.
- Een audit kan wederzijds door een delegatie van de andere RvT uitgevoerd worden. De tweede manier is meer geschikt voor betrokkenheid van alle leden. Dit vond men belangrijk omdat er zodoende een *collectief* lerend effect optreedt voor elke raad afzonderlijk.

Globaal kan een evaluatie van een raad van toezicht ingestoken worden op 'de drie I's' (alle of onderdelen)[10] :

- Inhoud: op welke inhoudelijke beleidsgebieden houdt de RvT toezicht, wat zijn de ijkpunten voor toetsing, waar liggen de prioriteiten, op welke wijze vindt dat dan plaats?;
- Inrichting: dat zijn de formele governance-eisen zoals vastgelegd in de codes en de wijze waarop de RvT dat dan zelf inricht (voorbeelden: profielen, wijzen van (her)benoeming, commissies en werkwijzen, functioneringsgesprekken met RvB, statuten, reglementen etc.)
- Interactie: wijze van omgang binnen raad van toezicht, 'de mores en informele codes', wijze van omgang bestuurder, rolinvulling voorzittersfunctie etc.)

Besloten is om in de wederzijdse visitatie de nadruk te leggen op *Inhoud* (toezicht op inhoudelijke beleidsgebieden).

Het thema *Interactie* leent zich minder voor een wederzijdse visitatie omdat men daarvoor elkaars mores moet kennen en de vraag is of men op dat punt elkaar 'de maat neemt' (voor zover dat dus al zou kunnen). Het thema *Inrichting* is op een andere manier in de evaluatie betrokken, omdat dit voor het uitvoeren van een collectieve visitatie op de formele governance-punten minder inspirerend is. Het gaat dan gauw om het plichtmatig afvinken van de governance-codes of -checklist.

De rol van de extern begeleider richtte zich op advisering over de aanpak en procesleiding over de uitvoering, inhoudelijke beoordeling van de governance-documenten, beoordeling van de overige documenten voor een goede uitvoering van de evaluatie en de voorbereiding en leiding van de evaluatiebijeenkomst.

Concrete aanpak en resultaten van de evaluatie

Bij het onderdeel *Inrichting* hebben de voorzitters van de RvT en een extern adviseur de belangrijkste beoordelingspunten voor governance doorgenomen aan de hand van een checklist. De check-up is schriftelijk vastgelegd en teruggekoppeld naar de eigen RvT. Dit heeft per RvT op een aantal punten tot verbetering geleid. Het gaat dan bijvoorbeeld om zaken als statuten, reglementen RvT en RvB, herbenoeming van toezichthouders, informatieprotocol, risicorapportage.

Voor het onderdeel *Inhoud* zijn beide raden van toezicht samen met de bestuurders onder externe begeleiding een dagdeel bijeen geweest. Zij hebben uitgewisseld op welke wijze het toezicht op een aantal inhoudelijke beleidsthema's wordt uitgeoefend. Daarbij gaat het om aspecten als: waarop toezicht (de inhoudelijke ijkpunten en indicatoren) en op welke wijze toezicht (bijv. wijze van bespreking, informatievoorziening, onderlinge taakverdeling of commissies?). Dit heeft plaatsgevonden op interactieve wijze in wisselende groepjes van beide raden (zonder bestuurders) en plenair, samen met de bestuurders (directeuren). Tussendoor hebben de bestuurders meer intervisieachtig met de externe adviseur hun ervaringen met het toezicht uitgewisseld. In verschillende rondes is in verschillende groepjes aan de hand van enkele vragen en aandachtspunten stilgestaan bij het toezicht op:

- Kwaliteit van zorg en wonen (Klant-invalshoek)
- Financiën: strategisch en 'operationeel' (financiële doelen en bedrijfsvoering)
- Vastgoedbeleid
- Maatschappelijk stakeholdersbeleid en rol van RvT hierin
- Personeel/Sociaal beleid
- Doelgroepenbeleid

Ter voorbereiding op deze thema's zijn ook elkaars beleidsstukken uitgewisseld.

Uiteraard heeft er ook plenair een uitwisseling plaatsgevonden aan de hand van de uitkomsten van de thema's, en zijn de ervaringspunten van de bestuurders besproken, met tussendoor een externe inleiding.

Resultaten van de evaluatie

Ten aanzien van het 'inrichtingsdeel' was de verwachting dat dit niet zo veel zou opleveren omdat de raden van toezicht hun formele governance op orde hebben.

Juist omdat men elkaars documenten en formele werkwijze had besproken, bleken er voor beide zijden toch verschillende leer- en evaluatiepunten in te zitten – meer dan verwacht: 'andere ogen geven toch weer een andere blik'. Door dit onderdeel vooraf te doen in petit comité – met terugkoppeling naar hele raad - ontstond er ruimte voor verdieping op de inhoudelijke governance-thema's.

Ten aanzien van het inhoudsdeel is de wederzijdse evaluatie als zeer positief beoordeeld. Het voert te ver om op alle inhoudelijke dossiers de wederzijdse ontwikkelpunten in relatie tot toezicht te benoemen, maar daarnaast zijn wel enkele andere generieke ontwikkelpunten naar voren gekomen.

Deze hebben vooral geleid tot reflectie op het eigen functioneren en hebben (andere) perspectieven voor de toekomst geboden:

- Toepassing van de nieuwe inzichten in de begeleiding van cliënten van de RIBW (namelijk, de herstel- en presentiebenadering) op het interne toezicht zelf. Concreet betekent dat: werken met een meer open agenda in plaats van een 'dichtgetimmerde' agenda. Verder voorkomen dat de RvT een duplicering wordt van wat andere (externe) toezichthouders al doen. By the way, intern en extern toezicht zijn geen communicerende vaten. Het interne toezicht heeft een andere scope, rol en verantwoordelijkheid.

- Maatschappelijk is de beweging 'Van zorginstelling naar ondersteuningsnetwerk voor gewoon leven'. Wat betekent dit voor de 'klassieke' zorginstelling en bijgevolg voor de (interne) governance(structuur), niet alleen aan de top maar juist ook lager in de organisatie?
- Deze beweging – in combinatie met de Wet Maatschappelijke Ondersteuning - verandert ook de scope van het toezicht. Meer gericht op maatschappelijke verbindingen en netwerkstructuur in de regio en verhoudingsgewijs minder gericht op de interne organisatie.
- Het gaat al lange tijd goed met beide RIBW's en met de RvT's/RvB's. Maar er is geen collectieve ervaring hoe om te gaan met elkaar (binnen RvT) en met RvB als het echt spannend wordt. Kun je je daarop voorbereiden en, zo ja, hoe? Dit dilemma en dit anticipatievermogen is uitgewisseld.

De algemene conclusie was dat er door de intensieve maar compacte uitwisseling concrete wederzijdse leerpunten zijn geweest én dat de reflectie op het toezicht en het eigen functioneren ook nieuwe gezichtspunten heeft opgeleverd. De *spiegelfunctie* door een andere raad van toezicht in combinatie met een externe blik, werkt verfrissend. Het gaf perspectieven voor een andere richting en inrichting voor het functioneren van het eigen toezicht. Door op '*Inhoud*' met een andere raad van toezicht dieper in te gaan op enkele inhoudelijke dossiers, ontstonden er inzichten op vanzelfsprekendheden in de wijze waarop er toezicht werd gehouden. Ook bleek de open uitwisseling van elkaars stukken (bijv. risicorapportages) leerzaam.
Op '*Inrichting*' (de formele governance-documenten) ontstond aanvankelijk de indruk dat men alles op orde had, maar daarop kwamen wederzijds nog verbeterpunten op tafel.
In die zin is deze vorm van evaluatie van de raad van toezicht van toegevoegde waarde gebleken ten opzichte van eerder uitgevoerde vormen, zoals eigen evaluatie aan de hand van een vragenlijst of checklist.

Uiteraard heeft de wederzijdse evaluatie tussen twee raden van toezicht ook zijn beperkingen. Als het gaat om het bespreekbaar maken van de omgangsvormen en de mores binnen de raad van toezicht ('de interactie'), dan is deze vorm van evaluatie minder geschikt. Daarvoor is een eigen intensief traject binnen de eigen raad nodig.

6   Met dank aan Mieke Heringa, (destijds) voorzitter raad van toezicht Kwintes en Margo Foppen, voorzitter raad van toezicht Anton Constandse

7   Zie dr. S.C. Peij: Hoofdstuk Zelfevaluatie in Aedes Compact nr. 33: 'Werk maken van goed (corporatie)bestuur', pp. 34-40, december 2007. Hij spreekt daarin van zelfreiniging van de raad van commissarissen als doel van zelfevaluatie.

8   Niet voor niets heeft prof. dr. M. Lückerath-Rovers op 8 juni 2011 in haar oratie gepleit voor opname in de codes voor een verplichte, meer formele en rigoureuze zelf-evaluatie die eens in de drie jaar door een externe facilitator wordt uitgevoerd.

9   Een Regionale Instelling voor Beschermd Wonen (RIBW) heeft tot doel om personen die beperkt zijn in hun sociaal/psychisch of maatschappelijk functioneren huisvesting en woonbegeleiding te bieden. De herstel- en rehabilitatiebenadering staat centraal in de benadering. Anton Constandse heeft als werkgebied Den Haag. Kwintes heeft Midden-Nederland als werkgebied. Kwintes biedt ook maatschappelijke opvang in een deel van haar werkgebied.

10 Zie drs. Th.P.M. Schraven: Van Inrichting naar Inspiratie; in: ZM-magazine 2, februari 2010 (eerste hoofdstuk van dit boek).

8

Naar een 360°-beoordeling van bestuurders door toezichthouders?

1 Inleiding

De raad van toezicht vervult onder meer de werkgeversfunctie van de bestuurder(s). Een belangrijk onderdeel daarvan is de beoordeling van zijn functioneren.

Verreweg de meeste raden van toezicht voeren – conform de goverance-codes - jaarlijks een beoordelingsgesprek met de bestuurder. De vraag is hoe daar invulling aan wordt gegeven.

In toenemende mate gaan er stemmen op om tot een 360°-beoordeling over te gaan.

Daarover leven bij bestuurders en toezichthouders veel vragen over nut, noodzaak en werkwijze.

In dit hoofdstuk worden praktische handvatten aangereikt.

2 Wat is een 360°-beoordeling (algemeen principe)

Het 360°-feedback-principe is een methode om het functioneren van een individu te evalueren waarbij gebruik wordt gemaakt van meerdere beoordelaars. De basis van deze methode is dat het functioneren van een individu wordt beoordeeld door een aantal personen dat goed zicht heeft op het functioneren van de betreffende persoon.

Dat zijn doorgaans collega's van gelijk niveau, ondergeschikten en de directe leidinggevende. In sommige gevallen kan ook de mening van (interne) klanten worden gevraagd. Door de verschillende percepties van deze personen te combineren, wordt een compleet en objectiverend beeld verkregen van de beoordeelde persoon. Ook binnen de kring van medisch specialisten vindt een soortgelijke beoordelingsvorm ingang (het IFMS-model).

Er zijn positieve ervaringen met dit model (ook bij topadvocatenkantoren met hoogwaardige en eigenwijze professionals) maar ook negatieve ervaringen. Dat laatste is het geval wanneer er een bureaucratisch systeem wordt opgetuigd waarbij op een verhullende en omslachtige manier het (dis)functioneren van een medewerker wordt besproken; de leidinggevende kan het ook gewoon direct zeggen, maar durft het niet of verschuilt zich achter anderen of achter het systeem.

3   Waarom 360°-beoordeling raad van bestuur?

Het invoeren van een vorm van 360°-beoordeling van de raad van bestuur is *in principe* een goede zaak en wel om de volgende redenen:

- De raad van toezicht krijgt een completer beeld van het functioneren van de raad van bestuur;
- Voorkomen wordt dat de beoordeling van de raad van bestuur door de raad van toezicht door anderen beleefd wordt als 'onderonsje'. In de beeldvorming bevestigt het de kritiek op de gesloten toezichtstructuur en –cultuur;
- Door zich op deze wijze kwetsbaar en toetsbaar op te stellen geeft de raad van bestuur zelf het goede voorbeeld voor alle geledingen binnen het ziekenhuis;
- Vergroting van legitimatie naar medisch specialisten en stafbestuur om een eigen vorm van beoordeling van medisch specialisten (IFMS) in te voeren.

4   Toepassing hedendaagse governance-vorm: de raad van toezicht doet al aan 360°-beoordeling.

Indien de raad van toezicht de eisen die aan governance en toezicht worden gesteld professioneel navolgt, wordt er eigenlijk al met een vorm van 360°-feedback gewerkt. Onder normale omstandigheden spreekt een delegatie van de raad van toezicht twee maal per jaar (in de praktijk vaak 1x) de cliëntenraad, de ondernemingsraad en het medisch stafbestuur (overigens in aanwezigheid van de raad van bestuur). In de meeste zorgorganisaties is er inmiddels ook een jaarlijkse themabespreking RvT, RvB, MT. Bovendien spreekt de raad van toezicht jaarlijks de accountant. In de auditcommissie werkt een delegatie van de raad van toezicht ook met de controller (en raad van bestuur). Indien deze overlegvormen stevig worden ingevuld (en niet als ritueel), zijn er voldoende momenten voor de raad van toezicht om via een gezond systeem van *checks and balances* zicht te krijgen op het functioneren van de raad van bestuur. Desgewenst kan aan de overlegmomenten met cliëntenraad, ondernemingsraad, stafbestuur en accountant één keer per jaar een korte *private session* worden toegevoegd. De raad van toezicht spreekt de accountant dan een kort moment onder vier ogen met de kernvraag: is er buiten de managementletter nog iets dat gemeld moet worden over raad van bestuur of organisatie?

Indien de raad van toezicht al zo'n vorm van werken heeft (mits stevig en gestructureerd ingevuld!) dan is een apart systeem van 360°-feedback feitelijk overbodig. Men kan natuurlijk wel een afzonderlijke vorm van feedback toepassen als aanvulling of voor de afwisseling, met als doel om bestuur en toezicht scherp te houden. Ook hangt het af van stadium en looptijd waarin het bestuur zich bevindt. Wanneer er routines (met gevaar van sleetsheid) in de relatie bestuur - toezicht ontstaan, is het gewenst om andere dan de gebruikelijke vormen in te voeren.

5 Hoe 360°-beoordeling raad van bestuur? Do's, dont's en externe ondersteuning

Hieronder worden enkele do's en don'ts voor een 360°-beoordeling gegeven.

Do's
- De raad van toezicht moet wcl (vooraf) een beoordelingskader naar inhoud en vorm hebben. Bij dit artikel is zo'n format voor een beoordelingskader opgenomen als voorbeeld;
- Voer het systeem in op het moment dat het goed gaat met bestuur en de organisatie;
- Zie 360°-beoordeling meer als een ontwikkelingsinstrument voor het bestuur dan als een afrekeningsinstrument;
- Neem er de tijd voor;
- Zorg voor zorgvuldige terugkoppeling, eerst naar RvB maar ook (op hoofdlijnen) naar organen/functionarissen die er bij betrokken worden;
- Als eenmaal gestart wordt met zo'n systeem dan ook doorzetten en herhalen (bijv. tweejaarlijks).

Don'ts
- Als de raad van toezicht (eigenlijk) zelf al vindt dat een bestuurder onvoldoende presteert, zeg het dan en verschuil je niet achter welk systeem dan ook;
- Bureaucratie, dus geen (anonieme) vragenlijsten maar gestructureerde gesprekken door RvT zelf;

- Je komt altijd iets te weten wat je daarvoor niet wist; weet het in de context te plaatsen en vooral: vergroot details niet uit.

Verder nog twee belangrijke valkuilen:
- Raad van toezicht rondt het traject niet goed (of slordig) af door tijdsgebrek of andere redenen. Er is dan grote kans op miscommunicatie en misverstanden, hetgeen contraproductief werkt;
- Er is per definitie altijd een natuurlijk spanningsveld tussen de raad van bestuur (die meer op de lange termijn gericht is en dus op verandering) en management/medisch specialisten (die meer gericht zijn op handhaving status quo en kortere termijn). Dat betekent dat er per definitie altijd wat bias zit in een beoordeling door anderen. Een goede raad van toezicht weet daar doorheen te kijken.

Externe ondersteuning?
De algemene stelregel is: onder normale omstandigheden voert de raad van toezicht zelf de beoordeling uit. Bij de opzet en het opstarten kan daarbij een eerste keer externe ondersteuning worden ingeroepen. Dit kan objectiverend werken naar de betrokken organen.
Onder bijzondere omstandigheden, bij dreigende conflicten of zelfs crisis, is het juist gewenst om - onder regie van de raad van toezicht - tot een extern uitgevoerd onderzoek over te gaan. Maar dan is er al wat anders aan de hand en is er geen sprake meer van 360°-beoordeling. De raad van toezicht houdt dan zijn handen vrij met behoud van verantwoordelijkheid.

6 Praktisch advies: stappenplan
Stappenplan 360°-beoordeling raad van bestuur

1 Beslissing raad van toezicht over al dan niet 360°-beoordeling met de uitgangspunten en beslissing over externe advisering;
2 Opdracht aan Remuneratiecommissie (2 RvT-leden) om (voorlopig) inhoudelijk beoordelingskader RvB voor te bereiden en om beoordelingssysteem op te zetten. Uiteraard is deze afgeleid van het (strategisch) beleidsplan waaruit de belangrijkste beoordelingspunten zijn gedestilleerd.

3   Bespreking van beoordelingskader met RvB en in RvT;
4   Aankondiging voor belangrijke interne stakeholders dat in najaar een 360°-beoordeling (eventueel andere term) voor raad van bestuur wordt ingevoerd met een duidelijke vermelding wie en op welke wijze wordt betrokken.
    Aan 'beoordelaars' wordt vooraf een beknopte itemlijst toegestuurd voor het gesprek met Remuneratiecommissie. Die itemlijst is opgebouwd rondom het inhoudelijke toetsingskader en rondom andere functioneringspunten (zie bijv. het beoordelingskader). Het gaat om input over RvB als geheel en over de individuele RvB-leden.
5   Gesprekken van remuneratiecommissie, delegaties van Stafbestuur, Ondernemingsraad, Cliëntenraad, MT en eventueel Verpleegkundige Adviesraad. Indien er geen VAR is, zou overwogen kunnen worden om een verpleegkundige delegatie te spreken. Het gaat hier immers om de grootste beroepsgroep in het ziekenhuis. Wellicht kunnen zij niets zeggen over individuele bestuurders, maar mogelijk wel over hun beeld c.q. ervaringen over de besturing van het ziekenhuis. De delegaties bestaan uit maximaal 3 personen. Ook de bestuurders zelf worden gesproken (immers feedback over elkaar en over het eigen zelfbeeld). Samenvattend verslag van het gesprek wordt teruggekoppeld naar betrokken delegatie (onder geheimhouding).
6   Remuneratiecommissie koppelt eerst de hoofdlijnen van de bevindingen terug in RvT die als geheel tot een (voorlopige) beoordeling komt;
7   Daarna terugkoppeling naar RvB (gezamenlijk en individueel) met uiteraard reactie RvB en ontwikkel-/aandachtspunten voor RvB. Bij significante discrepanties tussen uitkomsten van de stappen 6,7 en 8 zal mogelijk een extra ronde nodig zijn tussen RvT en RvB om tot een definitief maar vooral zorgvuldig oordeel te komen.
8   Afhankelijk van aard bespreking 6, 7, 8, vindt een algemene en prudente terugkoppeling plaats naar delegaties op die punten waar dat wenselijk is.
9   Afronding en evaluatie van deze vorm van beoordeling.

Daarna uiteraard monitoring door raad van toezicht, bij voorkeur op een wijze die stimulerend is voor de raad van bestuur.

Format beoordelingskader bestuurder

Competentie: Bestuurder *(taak/prestatiegericht intern en/of extern)*
Netwerker/ondernemer *(extern ontwikkelingsgericht)*
Human Resourcer *(intern relatiegericht)*

Prestatie: Visie
Plannen
Resultaten
Operatie & Innovatie

Relatie: Binnen Raad van Bestuur
MT / Managers
Raad van Toezicht
Medezeggenschap (Stafbestuur, OR, CR)
Externe partijen

Organisatie: Ontwikkeling organisatie
versus
Individuele ontwikkeling

Remuneratie: Arbeidsvoorwaarden
Arbeidsomstandigheden

Liefde voor het volk

De afgelopen jaren houden de berichten in de media over de beloningen van bestuurders maar aan. Door de kredietcrisis bij de banken en enkele debacles in de zorg wordt er de laatste tijd nog een schepje bovenop gedaan. Het lijkt er soms op dat parlementariërs en journalisten alleen daar mee bezig zijn. Wie zijn hier eigenlijk 'rupsje nooit genoeg'? Met de nieuwe beloningscode van de NVTZ en NVZD zal de aandacht daarvoor nog wel even aanhouden. Het is dat ik uit professionele noodzaak die mediaberichten nog een beetje en selectief volg, maar verder kunnen ze me gestolen worden. Het is gewoon niet boeiend, niet iets waarover het in de zorg zou moeten gaan.

Wat een verademing om eens een heel ander bericht te lezen recentelijk: de raad van bestuur van het Elisabeth Ziekenhuis zet zich in om het liefste ziekenhuis van Nederland te creëren. Want daar gaat het toch om, in het leven en in de zorg? Liefde! Dat wat we kennelijk in ziekenhuizen zijn kwijt geraakt moet weer herontdekt worden. Gek eigenlijk dat iets wat eigenlijk vanzelfsprekend zou moeten zijn, het dus niet (meer) is. Dus, pluim voor de raad van bestuur van Het Elisabeth.

Een minpuntje is dat gesproken wordt van 'liefste'. Is de marktwerking zo doorgeschoten dat we gaan concurreren op 'liefde'? Mijn ziekenhuis is lekker liever dan het jouwe! Hm, liever niet….

Beter was het geweest als de raad van bestuur gewoon gesproken had van 'een liefdevol ziekenhuis', maar dat terzijde.

Een Chinese wijsheid die ik koester is: "energie volgt de aandacht". Stel je eens voor dat al die aandacht en tijd die parlementariërs en journalisten besteden aan de beloningen van bestuurders gaan benutten voor het stimuleren van liefdevolle zorgorganisaties? Waarschijnlijk dragen ze dan meer bij aan de zorg dan ze nu doen.

Bestuurders die het lukt om echt liefdevolle zorgorganisaties of zorg met liefde te creëren mogen van mij best meer dan een premier verdienen. De mensen krijgen er immers veel voor terug. En bovendien een bestuurder die dat voor elkaar krijgt moet zelf ook wel liefdevol zijn, anders lukt het niet. In dat geval kun je er gerust op vertrouwen dat zo iemand vervolgens (in stilte) een deel van zijn inkomen weer schenkt aan goede doelen.

Dus volksvertegenwoordigers en volksvertolkers: verleg je aandacht (in belang van het volk!).

9

Over bestuurders in de zorg - die niet graaien maar die groeien

Inleiding

Bestuurders in de zorg staan de laatste jaren publiekelijk regelmatig in de wind als gevolg van enkele debacles, hun salarissen en afkoopsommen. De publieke druk op bestuurders is daarbij eerder toegenomen dan afgenomen door de transitie in de zorg en daarmee gepaard gaande reorganisaties en collectieve ontslagen.

De maatschappelijke legitimiteit van bestuurders staat nog al eens ter discussie: komen zijn nog wel voor 'hun' cliënten op? Een bestuurder die ik ontmoette verhief vertwijfeld zijn handen. Hij staat voor een ingrijpende bezuiniging, ligt wakker van de mogelijke gevolgen voor cliënten en wordt in de pers door de vakbonden afgeschilderd als iemand die de cliënten in de steek laat. "Kennelijk komt iedereen in de samenleving voor de cliënten op, behalve wij als bestuurders, terwijl het 'mijn' cliënten zijn.... Waar hebben wij de afslag gemist?". Een andere bestuurder vertelt me dat zij van drie kanten (zorgverzekeraar, zorgkantoor en gemeenten) te maken heeft met forse kortingen. Zij staat dus voor een omvangrijke ombuigingsoperatie terwijl één van de zorgverzekeraars via haar controller om een VOG-verklaring (verklaring van goed gedrag) van de bestuurder vraagt...

Met een niet bepaald positief beeld in de buitenwereld, vroeg ik me af hoe bestuurders in hun binnenwereld van overvolle agenda's, lange werkdagen en talloze aanbestedingstrajecten in vele gemeenten 'het hoofd boven water' houden. Hoe houden zij dat vol? Ik was daarom nieuwsgierig naar het antwoord op de vraag waar bestuurders in de zorg nog hun motivatie en inspiratie vandaan halen, wat hun drive is dit vol te houden en wat hen naar hun eigen beleving effectief maakt.

Over dit thema heb ik onafhankelijk van elkaar en 'at random' twaalf individuele gesprekken gevoerd met bestuurders in de zorg (ziekenhuis, gehandicaptenzorg, psychiatrie, ouderenzorg) .

Het spreekt vanzelf dat aan deze gespreksronde geen wetenschappelijke status moet worden toegekend maar het geeft wel inzicht in de drive en inspiratie van bestuurders en hun eigen perspectief over hun effectiviteit. Kortom op zoek naar de binnenwereld van de bestuurder.

Wat viel mij uit die gesprekken op?

Over persoonlijke ervaringen van bestuurder: als professional, als patiënt, met de cliënt
Ruim de helft blijkt zelf werkzaam te zijn geweest als zorgprofessional (medisch, paramedisch of verpleegkundig). Een aantal bleek dat beroep gekozen te hebben mede door persoonlijke ervaringen die vlak voor of na hun beroepskeuze een blijvende indruk hebben gemaakt en – ook nu nog- een bron van inspiratie zijn. Kleurrijk werd verhaald over gebeurtenissen uit verre verleden alsof het gisteren plaatsvond: de toewijding van een ouder of persoonlijke begeleiders voor de verzorging van zwaar gehandicapte mensen; een jonge leeftijdsgenoot die in de psychiatrie wordt opgenomen; jouw eigen vader met praktijk aan huis, als rolmodel bij begeleiding van patiënten; het herstelvermogen van een kind in de jeugdzorg. Die gebeurtenissen die men bij een ander persoon zag, blijken als rolmodel nog steeds een driver te zijn in de rol als bestuurder in de zorg.
De stap van professional naar manager en vervolgens naar bestuurder werd later gemaakt vanuit de motivatie dat men vanuit die rol (indirect) meer kan betekenen voor meer patiënten door het zorgsysteem te verbeteren.

Maar niet alleen client- en zorgervaring in het verleden zijn van invloed geweest. Ook persoonlijke ervaringen in het heden of recente verleden zijn van grote invloed op het functioneren als bestuurder.
De geïnterviewde bestuurders zijn tussen 50 en 62 jaar en bij minstens de helft heeft een belangrijke gebeurtenis in hun persoonlijke leven plaatsgevonden die – hoe zwaar ook- in positieve zin vormend is geweest als mens én als bestuurder: een ernstige ziekte van bestuurder zelf, een partner met een ernstige chronische aandoening, een naast familielid dat (te vroeg) overlijdt of ernstig ziek is.
Deze ziekte bij henzelf of naaste heeft vooral vormend gewerkt doordat men meer relativerend staat in het werk en/of hun kwetsbaarheid meer durft laten zien. Met 'relativering' wordt niet bedoeld 'onthecht' of 'niet

betrokken' maar je werk in het perspectief zien van wat belangrijk is in het leven, wat belangrijk is voor mensen (cliënten!), daarmede meer ontspannen in je werk staan en daardoor juist effectiever.

Afgezien van persoonlijke belevenissen uit verre of recente verleden die direct met de zorg te maken hebben, blijken eigenlijk alle bestuurders die ik sprak hun huidige motivatie (én informatie!) om het beter te doen, vooral te halen uit directe cliëntcontacten. Dat gebeurt op verschillende manieren. Er worden structureel en frequent contacten met cliënten en medewerkers op werklocaties ingepland. Dat kan ook 'meelopen' zijn. Een bestuurder van een grote bovenregionale organisatie met zeer veel locaties doet dit zelfs wekelijks ("mijn beste managementinformatie"). Bestuurders worden soms door cliënten direct benaderd en dat hoeft overigens geen klacht te zijn. En incidenten in de patiëntenzorg zijn – hoe ernstig soms ook- belangrijke bronnen om het beter te willen doen.

Kortom: voor zover bestuurders gezien worden als 'afstandelijke bureaucraten' die ver afstaan van de zorg en van cliënten, dan kan dit dus om een aantal redenen ontkracht worden op basis van persoonlijke levensverhalen van die bestuurders die juist het contact met cliënten opzoeken en er inspiratie uit halen. Het zijn ook 'gewoon' mensen en die ervaringen maken hen naar eigen zeggen juist een betere bestuurder.

Over volhouden en doorgaan
Inspiratie als 'innerlijk vuur' is van essentieel belang, juist om het vol te houden in deze tijden van interne en externe druk en met overvolle agenda's ('transpiratie'). Nogal wat bestuurders deinzen ook niet terug voor die werkdruk omdat ze los van de motivatie, voortkomen uit een gezinssituatie waarin hard werken om vooruit te komen en/of maatschappelijke verantwoordelijkheid nemen vanzelfsprekend was: een arbeiders- of middenstandsgezin, ouders die ondanks een druk werkleven maatschappelijk actief zijn, als oudste kind van een groot gezin al vroeg verantwoordelijkheid toegeschoven krijgen.
In het heden zit 'dit volhouden' naar hun mening in een stabiele thuisbasis (die ook positief confronterend en relativerend kan werken, zoals pubers thuis) en zorgen voor een gezonde lichaam en geest (sport en ontspanning).

Maar uiteindelijk gaat het om het blijven geloven in je eigen verhaal en – nog belangrijker- de geloofwaardigheid die jou als bestuurder wordt toegekend. Zoals een bestuurder zei: "het grootste compliment dat ik laatst van medewerkers kreeg is: 'we geloven niet alleen jouw verhaal, we geloven jou".

Over groei en effectiviteit van bestuurders: 'doe minder en bereik meer'.
Als het gaat om hun eigen groei als bestuurder en daarmede om hun eigen effectiviteit bleek ook een patroon zichtbaar. Nogal wat bestuurders gaven aan naar hun mening nu effectiever te zijn geworden én meer te genieten van hun werk omdat ze meer durven over te laten aan hun medewerkers. Voorheen had men meer het gevoel had dat alles van hen afhing. Alles willen weten, alles willen zien, alles willen goedkeuren, zelf in de actie etc. en dat soms ook nog in MBA-taal. Het gaf veel druk en het was lang niet effectief,
Veel bestuurders zeiden nu veel meer geduld te hebben, niet direct in de actie te komen en zaken te laten rijpen maar er wel met aandacht *zijn*. Zien en ervaren dat medewerkers veel meer kunnen, hoe die boven zichzelf uitstijgen, daarvan als bestuurder genieten en zelf meer tussen de coulissen staan, zien wat er gebeurt en wat er bereikt wordt.
En je als bestuurder niet gek laten maken en rust uitstralen vanuit vertrouwen zoals één bestuurder zei: "ik heb geleerd dat elk probleem zich uiteindelijk oplost; dat is de zegen van leeftijd en ervaring".
Als het gaat om 'rust', 'relativering', 'geduld' dan kan dat de indruk wekken dat ervaren en oudere bestuurders wat 'belegen of bedaard' worden of nog erger 'het wel gezien hebben'. Dat zal zich in de praktijk vast ook voordoen, maar de bestuurders die ik sprak zeiden dat ze met de jaren juist meer lef tonen, zich meer durven uit te spreken, meer de grenzen durven verleggen.
Gevraagd naar hun volgende persoonlijke ontwikkelstap, ligt juist daar nog meer de uitdaging: "nog meer mijn gevoel volgen en vandaaruit durven te acteren; nog meer 'out-of-the-box' denken en werken; durven laten zien waarvoor je staat ook als die boodschap intern of extern vragen oproept".

Over politiek en governance
Vanuit de optiek van governance viel me op dat – een uitzondering nagelaten- de bestuurders weinig klagen over de verantwoordingsdruk, de forse bezuinigingen etc. Niet dat men er laconiek over is of dat het ze

niets doet –integendeel zelfs- maar het wordt gezien als een fact-of –life of soms als een extra motivatie daar invloed op uit te oefenen. De ene bestuurder laat de politieke context en lobby vanuit branchevereniging voor wat die is en concentreert zich op de eigen organisatie en met maatschappelijke veld ('de wolven huilen; onze karavaan trekt door'). De andere bestuurder betreedt een nieuwe wereld: 'de politieke arena' met een voor haar nieuwe mores. Ze probeert het politieke veld te beïnvloeden door politici te laten zien wat effecten van hun beleid in de dagelijkse zorgpraktijk zijn.

Overigens wordt de politieke visie naar 'versterking eigen regie', 'dé-institutionalisering' etc. onderschreven, maar er zijn zorgen of men de komende periode de organisatie goed door het verwachte dal van bezuinigingen en reorganisaties kan trekken.

Naast cliëntencontacten laten bestuurders zich vooral inspireren door het delen van ervaringen met collega-bestuurders, externe professionals, nieuwe trends in de zorg of voorbeelden buiten de zorg. Als het om inspiratie gaat, wordt de eigen raad van toezicht niet of nauwelijks spontaan genoemd. Eénmaal nadrukkelijk positief (RvT die steun geeft bij een hele moeilijke beslissing waarover bestuurder zelf begon te twijfelen: 'nu doorbijten, we dekken je'), eenmaal negatief (ego's; geen team), maar meestal meer neutraal in de trant van: "zorgen dat interne stakeholders Raad van Toezicht, Ondernemingsraad, Cliëntenraad aangehaakt blijven".

Persoonlijke reflectie tot slot
Het maatschappelijke beeld doemt op dat bestuurders in de zorg personen zijn die niet meer voor hun cliënten opkomen en ook nog eens te veel verdienen; graaiers dus. Ook ik kom in mijn praktijk een enkele keer en bij uitzondering bestuurders tegen met een maatschappelijk onverantwoorde afkoopregeling (en zich daarbij verschuilen achter hun toezichthouders die dat hebben goedgekeurd...). Maar verreweg de meeste bestuurders die ik ken, voldoen niet aan dat beeld en ik ben daarin gesterkt door mijn gespreksronde.
Het zijn bestuurder die, tegen alle publieke druk op, groeien!

Neen, bestuurders zijn niet 'net' mensen; het *zijn* mensen die op basis van persoonlijke levensverhalen (en dus niet in abstract theoretisch) hun motivatie halen uit cliënten, die zelf cliënt of mantelzorger zijn geweest en die als bestuurder juist de contacten met cliënten (en uitvoerende medewerkers) opzoeken. Dat mens-zijn (of mens worden) maakt hen naar eigen zeggen tot een betere bestuurder. Dit past bij huidige leiderschap-theorieën zoals van prof Jaworski (zie o.a. zijn boek Source): bestuurlijke effectiviteit gaat niet alleen om het wat en hoe (vaardigheden en competenties hebben) maar vooral om wie je bent ('zijn'). "Wij geloven in jou" is daar een mooi voorbeeld van. Dat is een perspectief en leiderschapsvisie die mij meer aanspreekt dan de vele publicaties en theorieën van management-'goeroes' over egocentrisme, narcisme of zelf psychopathie van bestuurders naar aanleiding van enkele governance-debacles. Alsof alle bestuurders zo zijn.... mijn eigen ervaring is in het algemeen toch anders.

En zoals elk mens, wil een bestuurder vooral betekenis geven en van betekenis zijn; de zorgorganisatie verder brengen naar een volgende fase en hoe gek het ook klinkt: cliënten minder afhankelijk van de organisatie maken. Gevraagd naar hun grootste angst was het meest voorkomende antwoord (of iets in die trant): "dat er gezegd wordt: je voegt geen betekenis meer toe, zonder dat je het zelf in de gaten hebt gehad".

10

Over governance in de zorg en de medisch specialist als eigenaar van het ziekenhuis

Governance gaat over de regulering van de besturing, verantwoording, toezicht en zeggenschapsverhoudingen in een organisatie. Wanneer het om die regulering in de top van een organisatie gaat, spreekt men van 'corporate governance'. In de zorg spreken we sinds de Commissie Meurs (1999) van 'health care governance'.

Het begrip corporate governance, is eind jaren tachtig in het bedrijfsleven in het Verenigd Koninkrijk en de Verenigde Staten ontstaan en later naar Nederland (en andere landen) overgewaaid. Corporate governance ontstond naar aanleiding van problemen en schandalen in het bedrijfsleven waarbij de verantwoording aan de aandeelhouders en het toezicht van de raad van commissarissen op het bestuur tekort was geschoten. Het functioneren van raden van commissarissen (c.q. raden van toezicht) is daarmee nadrukkelijk in de aandacht komen te staan.

Met bijvoorbeeld de Ahold-affaire en de bankencrisis (kredietcrisis), maar ook met enkele debacles in de zorg, heeft dit thema nog niets aan actualiteit ingeboet.

In het bedrijfsleven zijn aanvankelijk door de commissie Peters (1997) en later door commissie Tabaksblat (2003) codes opgesteld voor een verbetering van corporate governance bij beursgenoteerde ondernemingen. "Governance gaat over besturen en beheersen, over verantwoordelijkheid en zeggenschap en over verantwoording en toezicht. Integriteit en transparantie spelen hierbij een grote rol". "Belangrijk daarbij is dat bestuurders en commissarissen over hun taakuitoefening - ook publiekelijk - verantwoording dienen af te leggen".

Corporate governance
Het begrip corporate governance is vanaf de jaren negentig op twee manieren geëvolueerd:

Ten eerste is de inhoud van het begrip breder geworden. De governance-gedachte richtte zich in eerste instantie vooral op het afleggen van verantwoording aan de eigenaars/kapitaalverschaffers van de onderneming (de aandeelhouders/shareholders). Later is het begrip verbreed naar verantwoording aan meerdere belanghebbenden (stakeholders), voor zover deze daartoe een legitieme grond hebben. Ook de focus van verantwoording verbreedt zich; het beperkt zich niet meer tot de financiële resultaten, maar richt zich ook op geleverde prestaties en op, bijvoorbeeld, milieu-effecten.

Ten tweede heeft corporate governance zich verbreed naar andere maatschappelijke sectoren, zoals de gezondheidszorg.

In 1999 heeft de commissie Health Care Governance, onder voorzitterschap van prof. dr. P.L. Meurs, 30 aanbevelingen uitgebracht voor gezondheidszorginstellingen. De aanbevelingen hebben in belangrijke mate betrekking op het functioneren van raden van toezicht van gezondheidszorginstellingen. Health care governance is een stelsel van spelregels en omgangsvormen voor goed bestuur van en goed toezicht op zorgorganisaties, en van adequate verantwoording aan en beïnvloeding door belanghebbenden van de wijze waarop de zorgorganisatie haar doelen realiseert en kwalitatief verantwoorde en doelmatige zorg levert.

Bij de uitwerking heeft de commissie de volgende uitgangspunten gehanteerd:
- goede zorg vereist goed bestuur;
- goed bestuur verdient goed toezicht;
- goede zorg is verantwoorde zorg.

In de uitwerking heeft de commissie het accent gelegd op de taak en positie van de raad van toezicht van de zorginstelling en op de verantwoording over zijn functioneren. In de zorg ontbrak een algemeen aanvaard referentiekader voor het functioneren van raden van toezicht. Het raad-van-toezichtmodel is immers niet wettelijk verankerd en ook andere mechanismen ontbreken om goed toezicht te toetsen. Daarom heeft de commissie destijds 'een gouden standaard' voor raden van toezicht in de zorgsector ontworpen. Dit is des te meer van belang omdat door de schaalvergroting en toenemende complexiteit van zorginstellingen ook een professionalisering van toezicht nodig is. Sinds 2005 is in de Wet Toelating Zorginstellingen (WTZi) bepaald dat er binnen de bestuursstructuur van een toegelaten zorginstelling een toezichthoudend orgaan moet zijn die onafhankelijk toezicht uitoefent op de raad van bestuur.

De brancheorganisaties, waar ook de Nederlandse Vereniging van Ziekenhuizen toe behoort, hebben de principes van health care governance verwerkt in de Zorgbrede Governancecode (2005). Deze is per 1 januari 2010 bijgesteld en aangescherpt, waaronder het toezicht op kwaliteit en veiligheid. Aangezien de code voor alle zorginstellingen geldt, zijn er geen specifieke bepalingen opgenomen over de positie van de medische staf.

Wel is in de toelichting van de code verwoord dat het medisch stafbestuur, net als de ondernemingsraad en cliëntenraad, een formeel adviesorgaan is van de raad van bestuur. Het zijn geen adviesorganen van de raad van toezicht. In die zin is er bestuurlijk geen relatie tussen deze organen en de raad van toezicht.

Wel is het gebruikelijk dat bij de goedkeuring van bestuursbesluiten door de raad van toezicht, laatstgenoemde geïnformeerd wordt over de adviezen aan de raad van bestuur, om te kunnen controleren of het besluit van de raad van bestuur voldoende steun geniet.

Dit betekent dat in de huidige verhoudingen van een toezichthouder doorgaans niet verwacht wordt dat deze actief het contact met het stafbestuur of met een medisch specialist opzoekt. Andersom wordt een stafbestuur dat contact zoekt met de raad van toezicht doorgaans terugverwezen naar de raad van bestuur. In het kader van een gezond systeem van *checks and balances* is het gewenst en noodzakelijk dat minstens één of tweemaal per jaar een onderhoud van de raad van bestuur, medisch stafbestuur en delegatie raad van toezicht plaatsvindt over de algemene gang van zaken in het ziekenhuis. Dit onderhoud richt zich dan in het bijzonder over de ontwikkeling van het medisch profiel van het ziekenhuis en over kwaliteit en veiligheid.

Ook mag van een raad van toezicht verwacht worden dat deze zich via interne werkbezoeken direct op de hoogte stelt van de werkpraktijk van de patiëntenzorg. Het toezicht op de veiligheid en kwaliteit van zorg wordt in toenemende mate door de raad van toezicht belegd bij een commissie 'kwaliteit en veiligheid'. Uiteraard blijft de raad van toezicht integraal verantwoordelijk. De Orde van Medisch Specialisten heeft in zijn Kwaliteitskader van Medisch Specialisten (2010) vastgelegd dat het stafbestuur periodiek de raad van toezicht informeert over de kwaliteit en veiligheid van zorg.

In het voorbeelddocument Medische Staf van de OMS en NVZ is in artikel 2.4 bepaald dat "het contact van de medische staf met de raad van toezicht van de stichting verloopt door tussenkomst van het bestuur, tenzij dringende redenen rechtvaardigen dat het bestuur van de medische staf zich rechtstreeks tot de raad van toezicht wendt, in welk geval het bestuur van de medische staf daarvan met opgave van redenen tevoren mededeling doet aan het bestuur."

Het governance-debat in de zorg heeft in ieder geval op één vraag nog geen antwoord gegeven: *van wie is het ziekenhuis*? De meeste ziekenhuizen zijn in een stichting ondergebracht. Het eigenaarschap is dus diffuus. Liggen hier mogelijkheden voor medisch specialisten?

Clinical Governance
Hoewel er onderlinge parallellen en verbanden zijn, dient corporate governance (health care governance) niet verward te worden met clinical governance. Het systeem van clinical governance is in de jaren negentig in het Verenigd Koninkrijk ontstaan bij de NHS en moet gezien worden als een nieuwe fase in de ontwikkeling van kwaliteitssystemen in de zorg. Onder clinical governance wordt verstaan: "a system through which organisations are accountable for continuous improvement in the quality of their services and safeguarding high standards of care and creating an environment in which clinical excellence can flourish" (the new NHS White Paper, DoH, 1997).

Daar waar het concept van corporate governance aanvankelijk ontstaan is naar aanleiding van enkele schandalen in het bedrijfsleven, zo is ook bij de Britse regering en de NHS de ontwikkeling van clinical governance in een stroomversnelling gekomen naar aanleiding van enkele publieke schandalen over de kwaliteit van de klinische zorg. In Nederland kan verwezen worden naar het Radboud umc (cardiochirurgie); IJsselmeerziekenhuizen (patiëntveiligheid OK-complex) , Medisch Spectrum Twente (disfunctionerende neuroloog), Maasstad Ziekenhuis (resistente ziekenhuisbacterie) en Ruwaard van Putten Ziekenhuis (ernstig gebrekkige cardiologische zorg).

Clinical governance moet gezien worden als een nieuwe fase in de ontwikkeling van kwaliteitssystemen. Er wordt een aantal kwaliteitslijnen met elkaar verbonden, te weten:

- integrale kwaliteitssystemen die vanuit het management ontwikkeld zijn (bijvoorbeeld het INK-model);
- de ontwikkeling van standaarden en protocollen vanuit de hoek van de medisch specialistische beroepsgroep;
- audit- en accreditatiesystemen (zoals visitaties en NIAZ);
- de prestatie-indicatoren van de Inspectie voor de Gezondheidszorg;
- een professioneel leerklimaat waarbij medisch specialisten elkaar kunnen toetsen en zo nodig aanspreken (onderlinge toetsing, functioneringsgesprekken).

Clinical governance verbindt niet alleen de kwaliteitsverantwoordelijkheden van professional én management, maar legt ook een verbinding met de publieke verantwoordelijkheid en verantwoording. Volgens de British Association of Medical Managers is de essentie van clinical governance "corporate accountability for clinical performance" (BAMM, 1998). Hier ligt dus het eerste verband met corporate governance, te weten verantwoording aan diegenen die daarop een legitiem recht hebben.

Een tweede verband is dat corporate governance en clinical governance niet meer gezien kunnen worden als 'iets extra's' waarbij de instelling en de professionals naar believen kunnen kiezen of deze in het beleid geïncorporeerd worden. Het is een maatschappelijke plicht geworden, met een dreiging van overheidsregulering op de achtergrond: "Quality is a prevailing purpose rather than a desirable accessory." (Secretary of State for Health UK, 1997.)

De principes van health care governance hebben doorgewerkt in de bewustwording van de positie van de medisch specialist in relatie tot zijn maatschappelijke verantwoordingsplicht.

Zo was de 29ste aanbeveling van genoemde Commissie Meurs in 1999 al: "De raad van bestuur bevordert dat hulpverleners niet alleen intern maar ook extern verantwoording (aan cliënten en beroepsgenoten) afleggen over hun handelen".

In Nederland is pas vanaf 2009 het thema governance en kwaliteit en veiligheid prominent in de aandacht gekomen, en daarmee de relatie tussen corporate en clinical governance. Eerder genoemde schandalen hebben dat proces versneld.

De Raad voor Volksgezondheid en Zorg (RVZ) heeft over het vraagstuk advies uitgebracht in zijn rapport 'Governance en Kwaliteit van Zorg', later aangevuld met het briefadvies 'Relatie medisch specialist en ziekenhuis in het licht van kwaliteit van zorg'. In het najaar 2013 brengt de RVZ overigens een governance-scan zorg uit met als kernthema: wat hebben de vele adviezen, codes en richtlijnen voor governance voor resultaat gehad, ook in relatie tot de kwaliteit van zorg?

De Algemene Rekenkamer heeft de Kwaliteitswet Zorginstellingen geëvalueerd. De Inspectie voor de Gezondheidszorg heeft haar visie verwoord in het rapport over de Staat van de Gezondheidszorg (SGZ) 2009 *De vrijblijvendheid voorbij. Sturen en toezicht houden op kwaliteit en veiligheid.* Deze visie is in 2011 uitgewerkt in het IGZ-Toezichtkader voor de invulling van bestuurlijke verantwoordelijkheid voor kwaliteit en veiligheid. De Orde van Medisch Specialisten heeft in 2010 het eerder genoemde *Kwaliteitskader voor medisch specialisten en raden van bestuur* uitgegeven, met richtlijnen voor de interne verantwoording van de medisch specialist.

En tot slot heeft de Orde van Medisch Specialisten met alle wetenschappelijke verenigingen in 2012 een Visiedocument 2015 uitgebracht dat ook ingaat op de taak en verantwoordelijkheid van de medisch specialist op het gebied van clinical en corporate governance. Zo wordt er in het Visiedocument voor gepleit dat de medisch specialisten het voortouw nemen in het openbaar maken van de medische kwaliteit onder meer door ontwikkeling van openbare kwaliteitsindicatoren op basis van klinische registraties. En daarmee staat de externe verantwoording van en door de medisch specialist prominent – zij het een beetje laat - op de agenda.

Corporate governance en clinical governance ontmoeten elkaar in het bijzonder wanneer het gaat om risicomanagement en risicobeheersing. Het gaat daarbij niet alleen om het beheersen van de risico's (waarbij veiligheid voorop staat) maar ook om inzicht in de verwachte consequenties van keuzes die gemaakt worden (of nagelaten worden). Zowel corporate governance als clinical governance eisen dat de risico's van de kwaliteit van zorg in beleid en in uitvoering in beeld worden gebracht en worden beheerst. Hierin hebben raad van bestuur en het medisch stafbestuur een gezamenlijke verantwoordelijkheid.

De bestuurders zullen in toenemende mate verantwoording moeten afleggen aan de raad van toezicht over de strategische risicobeheersing, waarvan rapportages over 'the state of the art of clinical governance' onderdeel zullen worden.

Het geïntegreerd medisch specialistisch bedrijf
De ontwikkeling van de organisatie van het ziekenhuis als een geïntegreerd medisch specialistisch bedrijf (GMSB) kent een lange geschiedenis. Belangrijke ankerpunten waren aanvankelijk de Commissie Biesheuvel (Modernisering Curatieve Zorg 1994) en de Commissie Van Montfort (Medisch Specialist en Ziekenhuisorganisatie; management-participatie van medisch specialisten, 1995). Recentelijk (juni 2013) heeft de Nederlandse Vereniging van Ziekenhuizen in het rapport *Passend Model* een visie gegeven op de relatie tussen ziekenhuizen en medisch specialisten na 2015.

Historisch kan de positie van de medisch specialist in relatie tot het ziekenhuis geschetst worden als een ontwikkeling van 'co-existentie' naar 'samenspraak' en vervolgens 'integratie' (zie figuur 1).

Figuur 1
Ontwikkeling van het medisch specialisme in het ziekenhuis

	Co-existentie	Samenspraak	Integratie
Strategiebepaling	Impliciet	Afstemming	Gezamenlijk
Ziekenhuisstructuur	Eilanden-structuur	Kanteling	Centra
Medische staf	Belangen behartiging	Bestuurlijk orgaan	Platform
Maatschap	Economische eenheid	Vakgroep	Basis van specialisme
Medisch specialist	Solistisch	Betrokken	Geïntegreerd

In ieder geval kan geconstateerd worden dat de organisatorische integratie van 'het ziekenhuis' en 'de medisch specialist' zich voortzet. Door het veranderend bekostigingssysteem (DBC's), het beheermodel medisch-specialistisch budget, de marktwerking en toenemende co-morbiditeit, neemt de wederzijdse afhankelijkheid op het gebied van kwaliteit van zorg, volume (productie) en kosten/batenverhoudingen verder toe[11]. Volgens het beheermodel wordt het beschikbare budget voor medisch specialisten verdeeld via de raad van bestuur. Tachtig procent wordt direct doorgeschoven naar het collectief van medisch specialisten, die dit onderling verdeeld en over de 20 procent worden nadere afspraken gemaakt tussen raad van bestuur en medisch specialisten.

En het einde van de integratiebeweging is nog niet in zicht, onder meer door het beleid van het kabinet om in 2015 over te gaan naar integrale tarieven met afschaffing van het ondernemerschap van 'vrijgevestigde' medisch specialisten - (ook) in fiscaal opzicht.

---

[11] Voor specialismen die door de aard van hun patiëntenpopulatie in sterke mate 'stand alone' kunnen functioneren (bijv. dermatologie of oogheelkunde) kan dat wat anders liggen.

De organisatorische integratie is zichtbaar in de ontwikkeling van Resultaat Verantwoordelijke Eenheden (RVE's) waarbij de medische vakgroep én ziekenhuisunit onder leiding van een medisch specialist en een manager bedrijfsvoering integraal verantwoordelijk zijn voor kwaliteit, productie, personeel en financiën. Het genoemde Visiedocument 2015 benadrukt dat medisch specialisten ook op strategisch niveau hun verantwoordelijkheid in het ziekenhuis moeten nemen. Uiteraard gebeurt dat al via het medisch stafbestuur, maar bedoeld wordt *medebestuur*.

De organisatorische én wettelijke integratie komt steeds meer op gespannen voet te staan met het hybride karakter van het huidige ziekenhuissysteem. Kun je professioneel en organisatorisch tegelijkertijd vrij én ondergeschikt zijn?

De Medisch Specialist: van klinisch eigenaarschap naar (ook) juridisch eigenaarschap?

Door de geschetste ontwikkelingen integreert de medisch specialist dus steeds meer in het ziekenhuis én wordt hij/zij er steeds meer (ondergeschikt) aan vastgeketend. Is het dan, nu zich deze ontwikkeling zich voordoet, niet tijd om echt het eigenaarschap van het ziekenhuis op zich te nemen in plaats van 'aan de zijlijn te blijven staan'? Die zijlijn is ook voor het bestuur een lastige positie: de medisch specialisten stappen ten opzichte van de organisatie 'in en uit' wanneer het hen uitkomt ('de hinder- en weigermacht'). Waarom de informele machtspositie van de medische staf, die steeds meer wringt met de veranderende formele posities, niet ook formeel verankeren en de medisch specialist ook echt (mede)verantwoordelijk maken van het ziekenhuis[12] . Maak van de *weigermacht* dan maar *eigenaarmacht.* NB: het hiervoor gestelde geldt ook voor medisch specialisten in loondienst.

Er zijn nog andere redenen voor het juridisch eigenaarschap:
Ten eerste, het stichtingsmodel van ziekenhuizen raakt steeds meer in de knel én staat steeds meer ter discussie. Van wie is het ziekenhuis en aan

---

[12] Als eersten publiceerden hierover P.P.G. van Benthem en J.Th.M.F. Beijer in Medisch Contact 60, nr. 19, 13 mei 2005 "Als de medische staf het ziekenhuis overneemt"

wie leggen bestuur en toezicht (uiteindelijk) verantwoording af? Er gaan maatschappelijk steeds meer stemmen op om andere rechtsvormen voor ziekenhuizen te creëren zoals de NV/BV, de coöperatie of de (komende) maatschappelijke onderneming. Blijft de medisch specialist als kernprofessional van het ziekenhuis dan aan de zijlijn staan?

Ten tweede, het vraagstuk van de externe kapitaalverschaffing, een politiek gevoelige kwestie. In de ministeriële tijdperken van achtereenvolgende ministers Hoogervorst, Klink en Schippers is daarin een wisselend beleid gevoerd. De opening die Hoogervorst gaf om het verbod op winstuitkering vanaf 2012 af te schaffen, is aanvankelijk door Klink overgenomen, maar daarna onder politieke druk weer ingetrokken. Vervolgens biedt Schippers weer openingen. Winstuitkering wordt mogelijk voor investeerders met een langetermijnperspectief in combinatie met een surplus boven 20 procent solvabiliteit met winst uit reguliere exploitatie. Voordat het zover is, zal een en ander in wetgeving uitgewerkt moeten worden.

Los van de vraag of *extern* eigenaarschap mogelijk wordt en wenselijk is, is er altijd een vorm van intern eigenaarschap, zoals we dat bij andere sterk professionele organisaties zien (advocaten- en advieskantoren). Het is zelfs de verwachting dat indien externe kapitaalverschaffers toetreden, zij als voorwaarde zullen stellen dat ook medisch specialisten als mede-eigenaar toetreden.

Er mag dan wel een verbod op winstuitkering zijn, er is geen verbod op externe kapitaalverschaffing door partijen die daarmee ook 'het eigendom' (in de vorm van zeggenschap) verwerven. Verwezen kan worden naar het Slotervaartziekenhuis en de IJsselmeerziekenhuizen die op omvallen stonden en overgenomen zijn door een externe partij, waarbij de zeggenschap – evenals bij alle andere ziekenhuizen - is ingebed in wettelijke kaders.

Maar: wat opvalt is dat dit kennelijk alleen mogelijk wordt in crisissituaties. Onder druk wordt alles vloeibaar. Het is echter beter als het eigenaarsmodel zich organisch ontwikkelt vanuit een gezonde situatie, voortkomend uit een weloverwogen strategisch beleid.

De tijd is er rijp voor want zowel de Orde van Medisch Specialisten áls de Nederlandse Vereniging van Ziekenhuizen beschrijven in hun recente rapporten (Visiedocument 2015 en Passend Model 2015) uitdrukkelijk de mogelijkheid van het eigenschapsmodel als een van de perspectieven.

Uiteraard wordt met eigenaarschap van het ziekenhuis door medisch specialisten niet de pretentie gewekt dat alle complexe besturingsvragen in het ziekenhuis in één keer worden opgelost, maar het doet wel (juridisch) recht aan enkele wenselijke bestuurlijke en organisatorische tendensen:

- van de medisch specialist in de zijlijn naar medisch specialist 'in de lijn';
- van gedifferentieerde medische staf naar medische staf met geïntegreerd eigenaarbelang;
- klinisch eigenaarschap wordt vertaald in juridisch eigendomschap;
- de tendens naar 'geketend en ondergeschikt' wordt omgebogen naar 'sleutelbeheerder en bovengeschikt'.

Als tussenstap of opmaat naar een dergelijk juridisch eigenaarschap kan gedacht worden aan een volledig geïntegreerde stafmaatschap van vrijgevestigde specialisten zoals deze in een aantal ziekenhuizen al functioneren. Zo'n tussenstap is ook het antwoord op het beheersmodel van VWS voor de verdeling van het collectieve medisch specialistisch budget onder de medisch specialisten.

Vertaling van GMSB en eigenaarschap van medisch specialisten naar een juridische structuur.
Tot slot, worden drie modellen gepresenteerd waarin het Geïntegreerd Medisch Specialistisch Bedrijf met eigenaarschap van medisch specialisten van het ziekenhuis kan worden vertaald naar een juridische structuur:
- het aandeelhoudersmodel;
- het coöperatiemodel;
- het certificatenmodel.

Het zijn slechts schematische modellen, daarbinnen zijn ook andere varianten mogelijk. Ook is de interne governance niet beschreven. De bedoeling van deze schema's is om een globaal beeld te schetsen van de mogelijkheden die in de praktijk op maat moeten worden toegepast.

Aandeelhoudersmodel

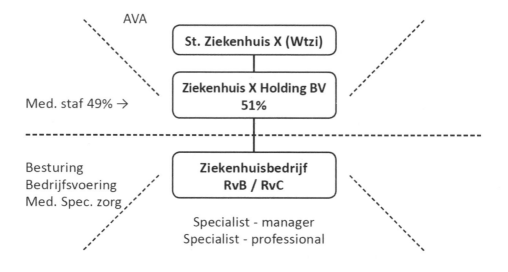

Coöperatiemodel

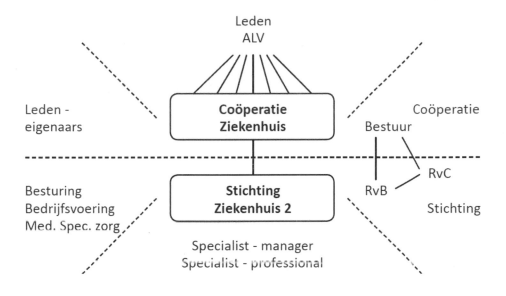

Leden
ALV

Leden -
eigenaars

**Coöperatie
Ziekenhuis**

Coöperatie

Bestuur

Besturing
Bedrijfsvoering
Med. Spec. zorg

**Stichting
Ziekenhuis 2**

RvB

RvC

Stichting

Specialist - manager
Specialist - professional

Certificatenmodel

Certificaathouders
(medisch specialisten)

Eigenaarschap

**Stichting
Administratiekantoor
Aandelen ziekenhuis**

Bestuur

Besturing
Bedrijfsvoering
Med. Spec. zorg

**Ziekenhuis
Medisch specialisten
bedrijf**

RvB

RvC

Specialist - manager
Specialist - professional

Literatuur

- Commissie Health Care Governance ('de commissie Meurs'), Health Care Governance, aanbevelingen voor goed bestuur, goed toezicht en adequate verantwoording in de Nederlandse gezondheidszorg, Soesterberg 2001 (derde druk), ISBN 90-9013245-7
- De Raad voor Volksgezondheid en Zorg 'Governance en Kwaliteit van Zorg', Den Haag, maart 2009 en briefadvies 'Relatie medisch specialist en ziekenhuis in het licht van kwaliteit van zorg, maart 2010
- Algemene Rekenkamer, Implementatie Kwaliteitswet Zorginstellingen geëvalueerd. Juni 2009
- De Inspectie voor de Gezondheidszorg, de Staat van de Gezondheidszorg (SGZ) 2009 'De vrijblijvendheid voorbij. Sturen en toezicht houden op kwaliteit en veiligheid'. Den Haag november 2009
- De Inspectie voor de Gezondheidszorg, Toezichtkader voor de invulling van bestuurlijke verantwoordelijkheid van zorginstellingen voor kwaliteit en veiligheid, april 2011
- Orde van Medisch Specialisten in 2010 het 'Kwaliteitskader van medisch specialisten, richtlijnen voor medisch specialisten en raden van bestuur' Utrecht, juni 2010
- Brieven van Minister VWS aan Tweede en Eerste Kamer over het beheersmodel medisch specialistische zorg in voorjaar 2010 en Brief Minister VWS aan Tweede Kamer dd 14 maart 2011 'Zorg die loont'.
- Joost Visser, 'Alle maten verzamelen', in Medisch Contact, 10 juni 2010, nr. 23 en 'Maatschap zoekt organisatiemodel' in Medisch Contact, 19 augustus 2011, nr. 33-34
- Projectgroep 'De Medisch Specialist 2015' o.l.v. dr. Carina Hilders, in opdracht van Orde van Medisch Specialisten en wetenschappelijke verenigingen, Visiedocument, oktober 2012
- Nederlandse Vereniging Ziekenhuizen (NVZ), Passend Model, over de relatie tussen ziekenhuizen en medisch specialisten na 2015, juni 2013

Verantwoording hoofdstukken

Inleiding
Verscheen als publicatie in Themabijlage 'Leadership en Governance' van het FD van 25 sept. 2012

1. **Van inrichting naar inspiratie.**
De raad van toezicht als 'het hogere zelf' van de zorgorganisatie
Publicatie in tijdschrift ZM Magazine van februari 2010, nr. 2 (thans Boardroom Zorg www.boardroomzorg.nl)

2. **Van informeel toezicht naar waardengericht toezicht.**
Een reflectie- en analysemodel over ontwikkelingsfasen van toezicht in de zorg
Publicatie in tijdschrift Goed Bestuur 2012, nr. 2

3. **Het nieuwe toezicht is loslaten!**
Verscheen als column op de website van Zorgvisie augustus 2013 (www.zorgvisie.nl)

4. **Naar een one-tier board in de zorg?**
Publicatie in tijdschrift ZMagazine in oktober 2008, nr. 10

5. **Over Zwoegers, Zwijgers en Zeurders.**
De groepsdynamische aspecten binnen een raad van toezicht
Hoofdstuk in boek 'Naar stimulerend en slim toezicht', red. Pauline Meurs en Theo Schraven, uitgave Elsevier Gezondheidszorg, 2006

6. **Als het stormt...**
Over groepsdynamische aspecten in de raad van toezicht
Publicatie via website van Lucide en Skipr voorjaar 2013, www.lucide.info en www.skipr.nl

7. **Evaluatie tussen twee raden van toezicht: interactief, reflecterend en lerend.**
Een casusbespreking van twee RvT's in de zorg
Publicatie in tijdschrift Goed Bestuur 2011, nr. 3

8. **Naar een 360°-beoordeling van bestuurders door toezichthouders?**
   Publicatie in Zorgvisie april 2010, nr. 4 onder de titel: Gedeelde waardering, praktische handvaten voor beoordeling van bestuurders.

9. **Over bestuurders in de zorg: die niet graaien maar groeien**
   Publicatie najaar 2014 ontwikkeld op basis van 13 gesprekken met zorgbestuurders. Dit hoofdstuk wordt bewerkt in verschillende weblogs voor Zorgvisie.

10. **Over governance in de zorg en de medisch specialist als eigenaar van het ziekenhuis**
    Hoofdstuk in boek 'Medisch Specialistische Zorg 2014', red. J.H.A.M. van den Bergh, uitgegeven door Mediforum www.mediforum.nl. Het hoofdstuk werd voor het eerst gepubliceerd in 2010 in een eerdere versie van het boek.

De drie columns/intermezzo's 'Als het stil wordt....', 'Heb jij een RvB' en 'Liefde voor het volk' verschenen eerder in de jaren 2007 – 2009 in het blad Billboard, destijds een uitgave van Zorg Consult Nederland.

Over de auteur:

Bestuur- en toezichtvragen hebben als een rode draad door zijn studie en werkleven gelopen. Het is zijn drive om bij te dragen aan een op waarden gedreven bestuur en toezicht in maatschappelijke organisaties. En die kernwaarden zijn in de samenleving aan verandering onderhevig. Zoals in de gezondheidszorg: van 'zorgen voor' naar 'zorgen dat', in netwerken en in co-creatie. Dat stelt andere eisen aan governance. Maar waarden gaan ook over gedrag: practise what you preach!

Zijn adviespraktijk richt zich vooral op advisering van bestuur en toezicht, zowel 'preventief' (professionaliseringsworkshops, evaluaties, functioneren topstructuur) als 'curatief' (doorbreken van stagnerende processen en impasses). Daarnaast wordt hij gevraagd voor meer complexe en innovatieve governance-vraagstukken die te maken hebben met externe samenwerking en allianties of voor andere governance-arrangementen in dit nieuwe tijdsgewricht. Schraven put veel inspiratie uit reflectie en verbinding van praktijk en theorie. Vandaar de inmiddels 40 publicaties over governance. Een goede theorie is ook praktisch!

Achtergrond:
Theo Schraven heeft de juridisch-bestuurskundige opleiding aan Universiteit van Tilburg afgerond en diverse trainingen op adviesvaardigheden gevolgd. Na meerdere staf- en managementfuncties in thuiszorg, ziekenhuiszorg en eerstelijnszorg is hij sinds 1997 extern adviseur voor onder meer beleid- en alliantievraagstukken, managementconferenties, medisch-specialistisch bedrijf en vooral voor governance.
Werkzaam in alle sectoren van de zorg en ook daarbuiten.

Schraven was onder meer secretaris/lid van de Commissie Health Care Governance (de Commissie Meurs) en heeft aan de basis gestaan van de ontwikkeling van governance in de zorg. Hij was adviseur van het VWS op het governance-dossier en heeft destijds de eerste modelreglementen voor bestuursstructuur ontwikkeld in opdracht van NVZD. En hij was docent bij diverse opleidingsmodules van NVTZ-academie.

Hij is werkzaam als partner/adviseur bij Governance University Advisory. Dit is een gespecialiseerd advies-, onderzoeks- en opleidingsbureau voor governance-vraagstukken en aanverwante thema's. Governance University Advisory is werkzaam in het bedrijfsleven, de publieke sector en maatschappelijke sector (zorg, sociale woningbouw, onderwijs en welzijn). Het doel is steeds om de kwaliteit van bestuur en toezicht naar een hoger plan te tillen.

Drs. Theo P.M. Schraven
partner/adviseur Governance University Advisory

Kasteel Moersbergen
Moersbergselaan 17
3941 BW Doorn
T 0343-476173
www.guadvisory.nl   www.theoschraven.nl
schraven@guadvisory.nl   tpm.schraven@planet.nl